Rupture(s)

Dans la même collection

Marylin Maeso, *Les conspirateurs du silence*, 2018.
Éric Fiat, *Ode à la fatigue*, 2018.
Yascha Mounk, *Le peuple contre la démocratie*, 2018.
Denis Ramond, *La bave du crapaud*, 2018.

De la même auteure

Hors de moi [2008], Allia, 2018.
Violences de la maladie, violence de la vie [2008], Armand
    Colin, 2015.
L'homme sans fièvre, Armand Colin, 2013.
La maladie, catastrophe intime, PUF, 2014.
La Relève. Portraits d'une jeunesse de banlieue, Le Cerf,
    2018.
*Qu'allons-nous devenir ? La technique et l'homme de
    demain*, Gallimard Jeunesse, 2018.

Claire Marin

Rupture(s)

Collection « La Relève »
dirigée par Adèle Van Reeth

Éditions de
L'Observatoire

ISBN : 979-10-329-0336-0
Dépôt légal : 2019, mars
5ᵉ tirage : 2019, mai
© Éditions de l'Observatoire / Humensis, 2019
170 *bis*, boulevard du Montparnasse, 75014 Paris

« Nous sommes tenaces
et on ne nous brisera pas en une nuit[1]. »

Nietzsche,
Seconde considération intempestive

---

1. Nietzsche, *Seconde considération intempestive*, Flammarion, GF, 1988, p. 96.

Notre vie n'est faite
que de ruptures

On aimerait que la rupture soit une coupure franche. Bien droite et nette, d'un seul coup, comme le sabre qui décapite. Mais la rupture est déchirure. À la différence de la séparation qui laisserait chacun redevenir la part entière qu'il était déjà auparavant, comme le rappelle l'étymologie, la rupture est une déchirure. Elle ne retrouve que rarement les contours nets de chacun. On ne rompt pas comme on découpe le long des pointillés, respectant soigneusement le patron qui reprend notre forme exacte. On déchire dans le tissu d'une vie commune où les identités des uns et des autres se sont si étroitement mêlées que plus personne ne sait vraiment où il commence et où l'autre s'arrête. Mais celui qui veut rompre croit le savoir. Il croit pouvoir dessiner l'ombre où il perçoit sa silhouette propre et veut se débarrasser de ce flou indécis, des présences qui l'encombrent, des liens qui l'empêchent d'être vraiment lui-même.

La rupture propre, comme un chiffre qui se divise sans reste, est sans doute impossible. Nous ne pouvons pas nous « réduire dans le temps, semblable à un nombre,

sans qu'il reste une fraction bizarre[1] », pour reprendre
l'expression de Nietzsche. Même rompus, les liens
peuvent rester sensibles, membres fantômes, témoins
d'une ancienne vie. Il reste la trace de tout ce que cette
dernière a inscrit en nous. Ce qui s'est infiltré, engrammé
dans notre chair, nos pensées, nos manières d'appréhen-
der et d'être. Tout ce qui traîne, la queue indéfinie de
la comète, ce qui perdure, ce qui est en cours malgré
nous. Impossible de vraiment tourner la page ; on voit
par transparence tout ce qui a été écrit auparavant, la
vie d'avant s'obstine en filigrane. Pas d'ardoise magique
qui ne garde quelques empreintes des dessins effacés, le
stylet a laissé sa marque sur la surface et on les devine
sous les nouvelles esquisses. L'inconscient se charge de
nous rappeler ces traces fantomatiques et rend impossible une parfaite diversion.

Peut-on alors vraiment couper les ponts, passer à autre
chose ? Comment dénouer ces attaches devenues natu-
relles au fil du temps, comment extraire de soi l'habitude de la présence de l'autre, de son corps, de sa voix ?
Comment rompre avec son milieu, changer de posture,
apprendre à se tenir droit, parler la langue des autres ?
Rompre avec son ancienne vie, c'est changer de façon
de voir mais c'est aussi changer de corps, de forme.
C'est changer la modalité de notre présence, la tonalité
de notre affirmation. La rupture implique une profonde
mutation où le corps joue un rôle central.

---

1. Nietzsche, *Seconde considération inactuelle*, Flammarion,
coll. « GF », 1988, p. 76.

La rupture est une expérience physique, corporelle. Nous ressentons la douleur de la rupture qui est arrachement. Elle est l'expérience concrète de la « chair du monde » du philosophe Merleau-Ponty, concept qui m'a longtemps semblé abstrait et poétique. Les liens avec les autres et le monde qui nous environnent ne sont jamais si sensibles qu'au moment où nous les perdons, plus exactement au moment où nous sommes arrachés à ceux qui comptent pour nous, à notre cadre familier, à une vie commune qui s'est inscrite en nous, qui s'est incarnée. Ton corps absent au réveil, ta voix qui ne répond plus, mais aussi la maison détruite, le ciel sans éclat. Cet enfant, cette maison-cocon nous manquent comme on a faim ou soif. La violence du manque empêche de dormir, de manger, de travailler, de vivre, puisque la vie s'est interrompue, brisée. Nous avons été mêlés et nous sommes désormais distincts, mutilés par ce déchirement, ce déracinement. La mémoire, trop vive, est notre bourreau. Il faudra décrire tous ces « tessons de souvenirs[1] » douloureux, l'acide de la rupture amoureuse, la blancheur de la dépression, le ralentissement, la disparition du sujet, son effacement. Son évaporation. Perdre de sa densité ou au contraire n'être plus que sensations vives, éclairs de douleur sans répit.

Même lorsque la rupture est volontaire, décidée, même lorsqu'elle s'inscrit dans une affirmation de soi, une révélation d'une identité jusqu'alors muette, une libération du

---

1. Vincent Delecroix, *Ce qui est perdu*, Gallimard, coll. « Folio », 2009.

sujet, elle reste douloureuse. Il n'est jamais simple d'assumer le désaveu ou la violence qui nous a forcés à partir, ce devenir autre qui dévalue nos proches, même malgré nous. Il n'est jamais facile de revenir à Reims[1].

Il est tout aussi difficile de revenir à Alger ou à Phnom Penh. Les douleurs de l'exil, la nostalgie sont une autre trace profondément ancrée de ces ruptures imposées par la guerre. L'homme qui revient au pays, le « *homecomer* », a perdu le pays qu'il a quitté, est devenu un étranger[2]. Son étrangeté se dédouble. Partir, c'est rompre deux fois, avec celui que l'on était et avec une certaine illusion, celle de se sentir à sa place quelque part. C'est renoncer à ce confort psychologique d'être légitime aux yeux des autres. C'est rompre avec l'espoir d'une reconnaissance. Exilés, transclasses, homosexuels, on n'a pas gardé de places pour vous. Il faudra vous caser où vous pouvez.

Nous vivons tous des blessures de la vie, nous traversons des expériences qui nous torturent. Mais nous ne réagissons pas tous de la même manière. Fragilité ou solidité intérieure. La torture est une torsion. L'étymologie nous le rappelle. La rupture, qu'on la choisisse ou qu'on la subisse, nous inflige une torsion psychique et physique insupportable, il nous faut supporter la déformation de notre identité, de notre existence. Nous devenons, dans cette déformation, des êtres monstrueux. Malgré nous.

---

1. *Cf.* Didier Eribon, *Retour à Reims*, Flammarion, coll. « Champs », 2018.
2. Sur cette question, voir l'ouvrage d'Alfred Schütz, *L'Étranger*, suivi de *L'homme qui revient au pays* (Allia, 2017).

Déformés par le malheur, la honte d'être rejetés, la violence du désamour. Ou des êtres cruels, qui partent sans se retourner, abandonnant femme et enfants, reniant leur parents, leurs origines, bafouant la loi, les valeurs, la religion. Survivent à cela les êtres les plus plastiques, qui supportent la déformation parce qu'une certaine « colonne vertébrale » est en place. Certaines structures sont solides et souples à la fois. Ceux qui en bénéficient supporteront la rupture.

Les ruptures sont nôtres, qu'on les décide ou qu'on les subisse. Rompre avec sa famille, ses amis, son amant, son milieu, changer de métier, de pays, de langue ; les ruptures nous construisent peut-être plus encore que les liens. Notre définition est tout autant dans nos bifurcations que dans nos lignes droites, autant dans les sorties de route, les accrocs au contrat que dans le contrat lui-même. Que nous apprennent ces « dérives » sur nous-mêmes ? En quoi sont-elles révélatrices ou fondatrices ? En ce qu'elles interrogent le sujet, qu'il soit dans l'exaltation d'une liberté neuve ou dans la solitude douloureuse, et l'obligent à se redéfinir ou peut-être à renoncer à cette idée même d'une définition de soi.

La rupture n'est pas nécessairement visible, fracassante, elle se fait parfois sans changement flagrant, mais à travers des décisions intérieures, des orientations nouvelles, dans l'abandon de certains pans de l'existence, qui cessent d'être vivants. Des êtres, des modes d'être fanent, sans explication. On déserte des lieux, on quitte des personnes, on se fond dans un nouveau style d'existence. Est-ce alors vraiment une rupture ou simplement une évolution, une modification intérieure, une mutation ? L'idée même de rompre avec celui qu'on a été n'est peut-être qu'une illusion. Il y a véritablement rupture lorsque s'opère une profonde transformation des schémas d'action et de pensée du sujet. Lorsque l'on rompt avec ce que l'on pourrait appeler notre « habitude d'être[1] ». Mais jusqu'à quel point puis-je devenir autre ? Et dans quelle mesure en ai-je besoin ? Il peut s'agir d'une nécessité vitale, d'une survie psychique. Je me déprends de l'autre pour être enfin moi. La rupture est condition de ma naissance comme de ma renaissance.

Il faut parfois rompre pour « se sauver », c'est-à-dire à la fois fuir et sauver sa peau, se sauver en rompant avec ce qui menace ou empêche d'exister. Cela peut être les autres, mais aussi parfois moi-même, qui me censure, me bride. Il faut alors créer, par la rupture, les conditions d'apparition et de réalisation de soi. Rompre pour révéler la personne que l'on veut être, pour exister en première personne et non plus comme une marionnette ou un fétiche. Assumer son identité dans ce qu'elle peut avoir de dérangeant, de décevant ou d'impossible au regard des autres et particulièrement des proches. Faire le pari d'un devenir autre, dont les conditions d'émergence exigent la rupture.

Mais que se passe-t-il lorsque la rupture est involontaire, subie, vécue sur le mode de l'accident, de la catastrophe

---

1. Flannery O'Connor, *L'Habitude d'être*, dans *Œuvres complètes*, Gallimard, coll. « Quarto », 2009.

ou de la tragédie ? Ce que l'on nomme parfois des « paren-thèses de l'existence » – la maladie, la dépression, le deuil – n'en sont pas ; elles engendrent le plus souvent une modification profonde de la manière de penser et de vivre. Elles sont en elles-mêmes un principe de rup-ture, que je peux reconnaître, revendiquer, dans l'optique de nouvelle vie, comme si cette épreuve du feu m'avait purifié, débarrassé des scories de l'existence, mais que je peux aussi nier et refermer comme une expérience sans conséquence. Dossier clos, affaire classée sans suite. Mais la faille que le drame a fait apparaître continue de s'élar-gir en silence et les fêlures de chacun sont les prémisses des ruptures à venir. L'enfant blessé fragilise l'adulte qu'il deviendra.

Si certains événements provoquent les ruptures, peut-être n'en sont-ils que le déclencheur ou le prétexte ? La fêlure intime n'était-elle pas déjà là depuis longtemps, prête à se propager et à faire éclater l'unité du moi ?

On évoque souvent le nouveau sujet qui surgit d'une rupture existentielle comme un diable hors de sa boîte. On parle de « renaissance », de « nouveau départ ». Les expressions ne manquent pas pour exalter cette seconde chance donnée au sujet d'être plus intensément ou plus authentiquement lui-même. Comme si la rupture per-mettait de s'approcher de soi, d'un soi véritable dont la société, la famille, le monde nous avait éloignés. Dans cette dialectique positive où la rupture nous révèle à nous-même, il y a peut-être une illusion fondamentale. On sup-pose en effet qu'il existe quelque chose comme un « soi », une identité vraie, celle de l'accomplissement, celle dans

laquelle le sujet se réalise dans sa singularité, exprime
son individualité, la déploie. Mais cette « nouvelle vie »,
cette métamorphose du sujet est-elle autre chose qu'une
consolation, une reconstruction *a posteriori* nécessaire
pour supporter le drame, pour donner un sens à l'absurdité de la mort, de la maladie, de l'accident ?

L'idée de la rupture révélatrice présuppose l'existence
d'une esquisse d'être, d'une essence à actualiser, d'une
vocation, d'une destinée. La rupture me permettrait
d'atteindre le cœur de mon identité, dans la mise à
l'épreuve. La douleur aurait un sens et chacun d'entre
nous une identité propre. Mais suis-je autre chose que
ces ruptures elles-mêmes ? Ne suis-je pas seulement
l'effet d'accidents, de hasards, modelé par le monde
extérieur ? N'est-ce pas la somme de ces petites ruptures
incessantes et inaperçues qui me font devenir tel que je
suis ? Nous serions alors plus « rompus » que « rompant »,
passifs et subissant les fractures de nos existences qui
redessinent nos vies.

Mais qu'est-ce qu'être « rompu » ? Suis-je seulement pas-
sif quand je subis ce coup, quand je supporte cette déchirure ? Suis-je si faible quand j'endure ? Le dictionnaire
est ici plus précieux que les ouvrages de développement
personnel. Il nous rappelle que l'on est aussi « rompu *à* ».
Quelque chose en nous résiste à l'anéantissement dans
l'épreuve de la rupture. L'être « rompu à » découvre sa
puissance de résistance. Ce que je supporte dit quelque
chose de ma force. Reste à comprendre pourquoi certains
cèdent et s'effondrent sous la violence de l'arrachement
là où d'autres s'étonnent de rester vivants, même amputés

d'une partie de leur vie. Qu'est-ce qui fait que je suis brisé ou au contraire renforcé par l'épreuve ? Que pouvons-nous faire de nos ruptures ? Et que font-elles de nous ?

Après Nietzsche et Kierkegaard[1], faut-il encore penser la rupture ? Oui, sans doute, parce qu'elle a changé de forme, parce qu'elle est plus présente, parce qu'elle pourrait être la forme nouvelle ou à venir de notre existence, en général. Peut-être sommes-nous entrés dans une époque de la rupture ou un moment de rupture. Sur le plan écologique et donc économique et politique, il nous faut repenser de manière urgente nos façons de vivre, de communiquer, de nous déplacer, notre habitude de nous accaparer les richesses et cesser de nier l'épuisement des ressources auquel ce comportement nous conduit. Assumer la rupture serait alors la preuve de la maturité, face à la nécessité d'un changement vital, que ce soit sur le plan d'une existence individuelle ou de la survie collective. Elle exprimerait la prise de conscience de nos responsabilités. Mais il faut aussi intégrer intellectuellement l'idée d'un changement nécessaire, d'une catastrophe à venir et arrêter de croire à une permanence du monde, une recréation indéfinie de la nature. Accepter que la configuration n'est plus celle de la cyclicité, mais que nous sommes face à un moment de rupture écologique. Cela

---

1. Nietzsche et Kierkegaard ont respectivement abordé la question de la rupture sur un plan culturel et historiographique ou sur un plan moral et personnel. *Cf.* Nietzsche, *Seconde considération intempestive*, Flammarion, coll. « GF », 1998 ; Kierkegaard, *La Reprise*, Flammarion, coll. « GF », 2008.

demande de travailler sur notre tendance spontanée au déni face à la perspective des grandes ruptures que sont l'altération (altération de la nature ou des hommes) ou la perte définitive. Il faut affronter nos grandes peurs et réfléchir à une pédagogie de la rupture.

Mais nous sommes aussi dans un moment de rupture, parce que celle-ci s'est inscrite depuis plusieurs décennies dans l'horizon quotidien, en s'articulant (trompeusement ?) à une certaine idée de la liberté – ou du caprice et de l'inconstance : les couples tanguent, les familles se recomposent comme dans un jeu de cartes, minimisant la douleur de la rupture et sa gravité. On pourrait se séparer dans le « consentement ». La rupture, devenue statistique banale, dirait quelque chose de l'individualisme et des revendications de chacun au « bonheur » et à l'« épanouissement ». Dans l'univers du travail, changer de paradigme, notamment sous l'influence des innovations technologiques, est devenu le critère d'une sorte de sélection naturelle. Le temps de publier cet ouvrage et les exemples qu'on pourrait donner de mutations technologiques seront déjà obsolètes. S'adapter, être flexible, nomade, sans attaches. Passer d'un schéma de compréhension à un autre. Inventer de nouveaux codes pour interpréter et surtout rentabiliser le monde. Mais aussi lâcher du lest, se débarrasser de ce qui nous ralentit, de ceux qui ne suivent pas le rythme. Les ruptures de notre époque sont sans pitié.

Mais si ces ruptures contemporaines sont visibles, identifiables, les brisures de l'existence ne sont pas pour autant nouvelles. Elles ont toujours saccadé les vies des hommes. Des bifurcations, des trous, des blancs dans l'histoire, des dérives, quelle vie n'en connaît pas ? Il faut dire aussi les parenthèses invisibles, les trahisons cachées. Toute vie n'est-elle pas, comme le dit Deleuze, une « phrase un peu folle, avec ses changements de direction, ses bifurcations, ses ruptures et ses sauts, ses étirements, ses bourgeonnements, ses parenthèses[1] » ? Il faut parfois une première rupture pour être capable de voir et de supporter toutes les autres. Comme souvent, la maladie impose son effet de loupe. Ce qu'elle donne à voir en gros plan existe à une échelle plus discrète dans notre quotidien. La discontinuité de notre existence, et peut-être même plus profondément de notre identité. Si les récits de vie officiels, les romans de soi ou le storytelling de tous les jours lissent les aspérités de l'existence, il n'est pas de vies sans brisures. La maladie donne une visibilité à ces trouées dans nos existences, tranchées douloureuses, mais force est de reconnaître que chacun les expérimente, parfois dans le secret et dans la honte[2]. La vie n'est pas logique et cohérente,

---

1. Gilles Deleuze, *Critique et clinique*, Éditions de Minuit, 1999, p. 77.
2. Comme le dit bien Olivia Rosenthal dans son ouvrage inspiré par la maladie d'Alzheimer, *On n'est pas là pour disparaître*, Verticales, 2007, p. 76 : « Pour restituer le cheminement d'une existence, il faut tenir compte des aléas, des brisures, des défaillances qui la composent, ruptures, défaillances, brisures qui ne sont pas forcément lisibles dans les biographies officielles. L'existence est en effet trouée et inégale, comme le savent mieux que quiconque ceux qui sont atteints de la maladie de A. »

faite de lignes toutes tracées, de voies évidentes, de destins… Elle est bien plus indécise, imprévisible, incertaine, les orages s'abattent brutalement sur la légèreté, les tragédies s'inscrivent et se répètent jusqu'à devenir banales.

Je résisterai dans cet ouvrage, comme dans les précédents, par entêtement ou conviction, à la tentation de l'optimisme en balayant d'emblée les lectures simplificatrices et positives de la rupture et du recommencement. On aimerait y voir l'occasion d'une vie neuve, d'une page blanche, de donner une valeur rétrospective à un échec en le transformant en savoir, en richesse, en expérience. Il y aurait des vertus de l'échec. Vraiment ? Mais la rupture n'est parfois qu'un gâchis, un manque de courage, une lâcheté. Le constat d'échec d'un couple, d'une famille, d'une amitié, d'une politique, d'un projet. Et l'échec n'est souvent rien d'autre que lui-même, pauvre, décevant, un pur raté. La plupart des échecs ne nous apprennent rien. Pire, nous nous enlisons souvent dans le bégaiement des mêmes échecs, comme s'ils étaient inévitables, et ce, dans une jouissance paradoxale de leur répétition presque rassurante. La psychanalyse nous en a dit quelques mots. Il faut cesser d'espérer que l'expérience nous améliore quand si peu d'exemples autour de nous semblent à même de le confirmer. « Il n'y a que les philosophes pour croire, depuis les physiciens grecs, que la vie s'apprend par essais et par erreurs[1]. » Je ne suis pas, à la veille d'une

---

1. Mathieu Potte-Bonneville, *Recommencer*, Verdier, 2018, p. 35.

nouvelle aventure, plus aguerri par les déroutes précé-
dentes, mais bien susceptible de me perdre de nouveau
dans les mêmes chemins de traverse[1]. Il est possible que
je n'aie finalement rien appris.

---

1. *Ibid.*, p. 37: « Chaque nouveau départ réveille les piétine-
ments du débutant qu'on croyait avoir laissés derrière soi. »

1

L'impossible fidélité
à soi et aux autres

Il faut parfois bifurquer quand le chemin emprunté semble tracé d'avance et n'est plus le fruit d'une découverte personnelle. Quand nos pieds marchent sans notre tête ni notre cœur. Mes actes me révèlent, me définissent, mais m'obligent aussi, d'une manière parfois contraignante. Ils définissent ma personnalité, mais créent également un personnage dont j'aimerais pouvoir me défaire. Ma liberté produit malgré elle des effets de déterminisme, voire d'aliénation. Nul besoin d'être aussi célèbre que Sartre pour éprouver le sentiment d'être prisonnier des attentes des autres, quand bien même celles-ci découlent d'un choix qu'on a fait librement dans le passé [1]. Paradoxe de la liberté : ce qu'on a décidé, en toute conscience, avec conviction, courage ou plaisir devient notre carcan.

---

1. C'est ce qu'explique Sartre dans un entretien accordé à la télévision canadienne, en 1967 à propos du poids des engagements. Ses prises de position politiques l'ont enfermé dans un certain rôle ; il est ainsi devenu un intellectuel engagé, étiquette qui le pèse et qui l'oblige. *Cf.* Madeleine Gobeil-Noël et Claude Lanzmann, *Sartre inédit. Entretien et témoignages. Entretien à la télévision Radio Canada* (15 août 1967), DVD, Nouveau Monde éditions, 2005.

Notre ancien désir s'est transformé en un piège. Faut-il continuer alors passivement à faire ce que les autres attendent de nous ? Ce serait d'une certaine manière renoncer à soi : continuer à agir comme on l'a toujours fait, en se contentant de subtiles variations. Et ce malgré l'écœurement de la répétition, la disparition du plaisir ; malgré le besoin de « passer à autre chose ». Faut-il au contraire prendre le risque de tout perdre en s'élançant vers le tout autre ?

Il n'est parfois plus possible d'être fidèle. La fidélité à ses amis, à un amour, à sa famille ou à soi-même devient intenable. Il est des loyautés qui ne sont plus des liens, mais une corde qui se resserre autour du cou. « J'étouffe », dit-on alors. La constance n'est plus l'effet d'un désir intérieur, elle devient construction artificielle, effort dans lequel le sujet s'épuise pour rester lui-même, pour tenir son rôle sans plus y croire. Il n'est plus que l'ombre de lui-même, il répète les gestes qu'il faisait auparavant, sans les habiter. Il est déjà parti, extérieur à cette identité d'avant ou à cette relation déjà morte, il mime ce qu'il a été, dans un à-peu-près caricatural. Comme le serveur de Sartre dans *L'Être et le Néant*, il joue à être dans une imitation pathétique. Il est de « mauvaise foi », au sens existentiel, il se ment à lui-même, fait semblant d'être ce qu'il n'est pas ou ce qu'il n'est plus. Il n'est plus que vaguement lui-même. Étranger à cette vie où il a l'impression de mourir à petit feu. Lorsqu'être fidèle à soi demande tant d'efforts, que vivre est une telle imposture rejouée à chaque instant, assumer ses rôles habituels devient impossible. Il faut fuir et trahir ses engagements.

C'est parfois un léger décalage, un subtil contact qui font exploser le carcan et nous libèrent d'une vie devenue trop exiguë : « Des choses éclatent ou nous font éclater, des boîtes trop petites pour leur contenu, les nourritures sont toxiques ou vénéneuses[1]. »

Ce qui jusqu'alors m'a nourri, entouré, protégé, désormais me dévore, me consume. L'habitude est un *pharmakon* : à long terme, le médicament est aussi le poison. Ce qui me contenait m'oppresse, ce qui m'embrassait m'enserre. Le sujet souffre de cette identité mal ajustée. Il est à l'étroit dans sa vie, tout engoncé dans une existence qui l'entrave, il a besoin d'air, il veut prendre le large, au sens presque littéral. Ce désir d'expansion, de « dilatation » s'exprime par le besoin de changer d'espace géographique, affectif, professionnel, psychologique. Il lui faut sortir de la boîte qu'est devenue sa vie. Dimensions fixes, capacités de stockage limitées. Il lui faut du neuf, du mouvement, du possible. Du vivant.

Il arrive qu'un événement d'une grande puissance psychique nous rende incapable de rester le même, par la métamorphose profonde qu'il engendre en nous, par le rôle révélateur qu'il endosse parfois. Après la rencontre d'un être qui me touche et m'ébranle par l'amour ou l'admiration qu'il fait naître en moi, après une maladie ou le choc d'un accident, la perte inconsolable d'un être cher, je suis si profondément désaxé qu'il ne m'est plus possible de rester fidèle à celui que j'étais. Changer devient nécessaire. Il faut que cet écart intérieur, cette modification

---

1. Gilles Deleuze, *Critique et clinique*, *op. cit.*, p. 34.

intime se donne à voir, par souci de vérité, mais aussi parce qu'elle doit être vécue, retranscrite dans des actes, elle doit se manifester au monde. Il n'est plus possible d'être fidèle à l'image que les autres ont de moi, ni d'assumer mes rôles habituels, je suis devenu trop différent.

Quand le sujet est convoqué, capté, ravi par plus fort que lui – la passion, la souffrance –, quand il est ainsi dépossédé et redéfini par une force supérieure à la sienne – l'amour, la douleur, le chagrin –, il ne peut plus se contenter d'être simplement celui qu'il a été jusqu'alors. Il lui faut devenir quelqu'un d'autre pour sauver sa peau.

Que peuvent faire alors ceux qui tiennent à lui et le retiennent ? Accepter ces moments où il ne peut pas tenir son rôle, où il abandonne la partition ? Accepter, c'est-à-dire décider d'y voir autre chose que de la lâcheté, y reconnaître plutôt son impuissance réelle face à l'événement (tomber malade, tomber amoureux, tomber enceinte) qui l'emporte ou l'écrase par sa puissance et le transforme intérieurement.

Facile à dire. Puis-je vraiment réussir à le laisser s'éloigner de lui-même, devenir autre que tel que je le connais et l'aime ? Puis-je lui autoriser cet écart, cet exil loin de lui-même au risque de le perdre ? Ne suis-je pas tenté au contraire de tout faire pour le retenir près de moi, pour le maintenir dans son identité antérieure, convoquant la morale (ses engagements), l'émotion, la mémoire pour l'enfermer dans cette identité dont il ne veut plus, qu'il ne peut plus ni supporter ni habiter ? Sans doute est-il vain d'user de tous les artifices pour l'empêcher de vivre ce qu'il est convaincu d'avoir à vivre.

Il faut dire la violence du devenir-autre pour le sujet lui-même, mais aussi la violence de cette métamorphose pour ses proches, pour tous ceux qui « tenaient » à lui. La rupture les détache malgré eux. Cette personne change au point de paraître parfois méconnaissable : est-ce bien mon enfant, cet adolescent qui se convertit ? Est-ce ma femme qui me quitte pour ce jeune homme ? Est-ce mon frère qui soutient ce parti xénophobe ? Qui est cet étranger qui a pris la place et l'apparence de la personne que j'aimais ? Qui est ce cafard dans la chambre de Gregor[1] ? En un effet boomerang surgissent les questions sur notre propre aveuglement. Comment ai-je pu, moi qui ai vécu à ses côtés, le méconnaître à ce point ? La possibilité et la liberté d'être autre révèlent de manière douloureuse les illusions de l'amour et de l'affection : illusion d'une propriété et d'une proximité, d'une transparence de l'être aimé. La familiarité n'est parfois qu'une impression. Autrui pourra toujours nous surprendre, nous déstabiliser, nous laisser interdit devant ce qu'il a dit ou fait et qui paraissait inimaginable. Non seulement il ne m'appartient pas, mais il peut toujours devenir pure surprise, devenir tout autre, d'une inquiétante étrangeté.

Parfois, cette transformation du sujet est libération. Parfois, elle est renoncement face à ce qui nous submerge. La fêlure s'agrandit. Lutter n'est plus possible. Rompre, quitter les siens, son travail, son pays, c'est s'octroyer le droit de s'abandonner à cette puissance qui prend le dessus sur nos engagements, nos promesses, nos loyautés.

---

1. *Cf.* Kafka, *La Métamorphose*, Gallimard, coll. « Folio », 1989.

Cesser de faire semblant d'être celui que l'on n'arrive pas à devenir ou à maintenir. J'aimerais être fidèle, mais je n'en ai plus la force, j'ai besoin d'autre chose dont l'intensité me tient en vie. J'aimerais être la personne que mes proches ont connue et aimée, mais la maladie m'a transformé, l'attentat m'a bouleversé, l'agonie d'un proche m'a épuisé, l'exil m'a disloqué. Je ne peux plus, pour un moment ou pour toujours, être celui que j'étais. La différence s'est insinuée en moi. Elle a fait de la fidélité, à moi et à autrui, une comédie et une imposture.

Je ne peux pas entretenir cette insouciance d'avant l'épreuve, je ne peux pas faire comme si je n'avais pas entendu ces insultes, subi cette agression. Je ne peux pas nier ce que j'ai perdu. La légèreté, la confiance, l'élan vers l'avenir. Je ne peux pas faire comme si l'effraction d'un événement en moi n'avait pas modifié l'équilibre intime de ma personnalité. L'événement traumatisant est parfois ancien et soudain réactivé par un changement de configuration. La naissance d'un enfant, une nouvelle responsabilité professionnelle, un voyage, une rencontre. Ce décalage désaxe le sujet qui s'agite comme une boussole affolée. Impossible désormais de tenir l'ancien cap.

Je ne peux plus être à la hauteur de la confiance et de la patience de mes proches, de mes amis. Je me sens en dette, mais cette dette est insolvable. Je ne peux pas, je ne pourrai pas être celui qu'on attend. Je me découvre impuissant face à la force d'autres affects, d'autres besoins, d'autres dépendances. Parfois cela signifie que je cède à mes démons, quitte à m'enfoncer dans une logique de destruction. La rupture est douloureuse lorsqu'elle est pour le sujet lui-même profonde déception de se découvrir si impuissant. J'aimerais être celui que l'on attend, être à la hauteur de mes espoirs. Souffrance de décevoir et de se décevoir soi-même et sentiment de honte à l'idée que nous ne sommes plus que source de déception. « *I cheated myself like I knew I would*[1] », chante désespérément Amy Winehouse qui se donnera la mort quelques années plus tard. L'incapacité à devenir celui que l'on aimerait être est une profonde souffrance. La rupture s'articule parfois à la tentation de la dérive. Aller jusqu'au bout d'un processus dont on connaît l'issue fatale, la puissance d'anéantissement. Il s'agit alors moins de s'affirmer que de « disparaitre de soi[2] ». Notre modification est la trace de la violence en nous, stigmate d'une effraction qui nous a transformé et dont on ne se remet pas. Il arrive malheureusement que l'on rompe pour suivre sa folie intime, sa ligne de sorcière. Il y a, dans toute rupture, l'espoir de se trouver et le risque de se perdre.

<hr/>

1. « Je me suis menti à moi-même, comme je savais que je le ferais. » (Amy Winehouse, « You know I'm no good », *Back to Black*, Universal Records, 2006.)
2. Comme l'a bien étudié le sociologue David Le Breton in *Disparaître de soi*, Métailié, 2015.

2

La rupture amoureuse

> « Il n'est pas prouvé, loin s'en faut,
> que la vie de couple soit bonne et que
> la rupture amoureuse soit un accident
> pathologique[1]. »
>
> Vincent Delecroix

Dans une rupture amoureuse, il reste un sentiment que les anciens amants partagent encore, celui d'une fracture intime, qui touche profondément leur identité. Qu'elle soit décidée ou subie, la rupture interroge ce que nous sommes ou ce que nous croyions être, elle nous ébranle, nous remet en question. D'une rupture, on peut avoir le sentiment qu'elle est une erreur, un terrible gâchis ou au contraire qu'elle est nécessaire. Même si on la subit, même si on en souffre. On peut reconnaître qu'il se joue dans cette décision et les actes qui la concrétisent l'expression d'une vérité intérieure qui ne peut plus se taire. Rester constant serait nier la puissance de la modification qui s'est opérée en nous. La fidélité à soi – et à la personne qu'on aimait – est désormais impossible, parce

---

1. Vincent Delecroix, *Ce qui est perdu, op. cit.*, p. 106-107.

qu'on a déjà été intérieurement rompu, rendu étranger à soi par un Autre. Un nouvel objet d'amour – une femme, un homme, un enfant, une œuvre –, une autre passion – gagner, réussir, séduire, créer – se sont immiscés entre les amants et ont produit un écart, une distance. Une expérience nouvelle, heureuse ou tragique, a intimement ébranlé le sentiment de soi, a dévié les polarités de l'existence, remodelé les affects. Ce tremblement secret ne peut pas le rester. Ce bouleversement profond de notre définition était peut-être en cours depuis longtemps. La fêlure, le doute sur soi existaient déjà et cette altérité s'y est engouffrée, appelée par la faille.

C'est dans cette perspective qu'on évoque souvent l'idée que la rupture amoureuse nous révèle à nous-mêmes. Elle serait alors l'expression d'une vérité intime, affirmation d'une nouvelle identité incompatible avec l'ancienne et avec les engagements pris. L'intensité ressentie (« se sentir vivant ») serait le signe évident de l'authenticité, de la coïncidence avec soi. Mais peut-être l'ivresse d'une nouvelle vie n'est-elle pas liée au dévoilement de notre identité, mais à son délaissement.

N'est-on pas parfois tenté de rompre pour être délivré de la fatigue d'être soi, de la pesanteur d'une modalité de l'existence dont on craint le caractère définitif ? La calligraphie dit bien la beauté de l'être délié, sa finesse et son élégance. Légèreté illusoire de celui qui rompt, porté par l'espoir d'une vie plus dense. N'est-ce pas pour échapper à une identité décevante et pourtant profondément mienne que je fuis l'ancien amour comme s'il était responsable de cet appauvrissement de mon être ? C'est ce qu'évoque Michel Butor dans *La Modification*. Le personnage principal, Léon Delmont, qui est aussi « vous » dans ce roman à la deuxième personne du pluriel, envisage de quitter sa femme Henriette pour Cécile, sa maîtresse italienne. La rupture lui apparaît d'abord comme la possibilité d'une vie neuve : « Cette rupture était nécessaire et urgente, car attendre quelques semaines encore, c'était tout perdre, c'était le fade enfer qui se refermait, et plus jamais vous n'auriez retrouvé le courage. Enfin la délivrance approche et de merveilleuses années[1]. »

Pour caractériser son dernier voyage, qui l'amène vers Rome, le narrateur parle d'« évasion ». Pourtant, dès le début du trajet, le doute s'installe. Le mal-être ne tient pas à la nature de sa relation avec sa femme, il ne suffira pas de changer de lieu et de compagne pour le faire disparaître. La faille est en lui, bien plus que dans la relation conjugale :

> Ce voyage devait être une libération, un rajeunissement, un grand nettoyage de votre corps et de votre tête ; ne devriez-vous pas en ressentir déjà les bienfaits et l'exaltation ? Quelle est cette lassitude qui vous tient, vous diriez presque ce malaise ? Est-ce la fatigue accumulée depuis des mois et des années, contenue par une tension qui ne se relâchait point, qui maintenant se venge, vous envahit, profitant de cette vacance que vous vous êtes accordée, comme profite la grande marée de la moindre fissure dans

---

1. *Ibid.*, p. 24.

la digue pour submerger de son amertume stérilisante les
terres que jusqu'alors ce rempart avait protégées[1].

Ce dernier aller-retour Paris-Rome devient l'espace
d'un cheminement intérieur et la décision de rompre se
renverse en son contraire : « métamorphose obscure »,
« changement d'éclairage », « rotation des faits »[2]. La ville
de Rome et le fantasme d'une autre vie forment un agencement imaginaire dans lequel l'amante italienne n'est
qu'un élément[3]. Sa beauté fane dès qu'elle sort de cet
agencement du désir. Que deviendra Cécile, installée
dans le quotidien d'une vie parisienne ? Une autre décli-
naison d'Henriette. Toute nouvelle vie ne serait finalement
qu'une modulation de l'ancienne. Peut-on créer par la
rupture amoureuse une existence radicalement neuve ?
De quoi, de qui, pouvons-nous réellement nous défaire ?

Plus profondément, plus tragiquement peut-être, certains rompent dans l'espoir de se fuir eux-mêmes. La rupture tient alors de la délivrance : n'être plus soi. Rompre
est alors moins la quête d'une vérité intérieure qu'une
tentation du vide, une jouissance de l'effacement ou de
la négation de soi, une libération dans la disparition. Ce
n'est plus l'ancien amant que je fuis, c'est moi-même.
Son amour m'oblige, me lie, m'inscrit dans une réalité
dont je veux m'extraire. Je me tourne alors vers des

---

1. Michel Butor, *La Modification*, Éditions de Minuit, 1990, p. 23.
2. *Ibid.*, p. 236.
3. *Cf. ibid.*, p. 238-239 : « Vous n'aimez véritablement Cécile que
dans la mesure où elle est pour vous le visage de Rome, sa voix et
son invitation. »

formes d'amour où je m'oublie, comme on plonge dans les eaux où l'on se noie. Dans une rupture amoureuse, on imagine souvent que celui qui rompt délaisse son ancienne vie comme un serpent se défait de sa vieille peau. Mais rares sont ceux qui partent vraiment l'esprit léger. Celui qui rompt est souvent tout aussi rompu que celui qu'il quitte.

On compte sur le nouvel amour pour faire rempart, pour « combler le vide[1] ». Mais la « lézarde » est en nous, rien ne consolide cette fragilité intime[2]. La passion amoureuse, loin de calfeutrer la fissure, a élargi la béance. C'est ce que finit par reconnaître Léon Delmont. C'est en comptant sur lui et non plus sur une femme, le visage d'un ailleurs idéalisé qu'il pourra calmer son inquiétude existentielle. C'est en écrivant sur cet aller-retour sentimental qu'il en dégagera le sens.

Ce qu'éprouve l'être délaissé nous livre aussi quelques vérités sur l'amour. S'il est rompu, c'est d'abord bien entendu sur le plan psychique. Violence du désamour, blessure narcissique ; la rupture amoureuse est démolition en règle de l'ego. « Ta silhouette s'est perdue

---

1. *Ibid.*, p. 274-275 : « Tout le sang, tout le sable de mes jours m'épuiserait en vain dans cet effort pour me consolider. »
2. *Cf. Ibid.*, p. 240. Voir aussi p. 240 : « Mais maintenant qu[e cette fissure géante] s'est déclarée il ne m'est plus possible d'espérer qu'elle se cicatrise ou que je l'oublie, car elle donne sur une caverne qui est sa raison, présente à l'intérieur de moi depuis longtemps, et que je ne puis prétendre boucher, parce qu'elle est la communication avec une immense fissure historique. »

comme un petit détail dans un paysage[1] », écrit Lou
Andreas-Salomé à Rilke dans une lettre de rupture. Qui
resterait insensible à ces mots, prononcés ou écrits par
l'être aimé ? Qu'y a-t-il de vrai dans les paroles de rupture ? Ariane, l'héroïne de *Belle du Seigneur*, est-elle la
« femme qui rachète toutes les femmes » ou bien une
pure « idiote » ? Pour l'écrivain Philippe Forest, il s'agirait
de ne pas de s'en inquiéter : « En amour, au fond, ce
que l'on dit est toujours n'importe quoi et ne signifie
jamais rien[2]. » Les déclarations d'amour ne vaudraient
pas grand-chose. Mais les déclarations de désamour ?
Ne sont-elles pas au contraire parfaitement vraies ? Ne
disent-elles pas, avec une trop grande vérité, la raison
pour laquelle on cesse de désirer quelqu'un ? Si je souffre
tant de ces phrases cruelles, n'est-ce pas parce que je
me reconnais dans le portrait de cette personne si peu
désirable ? N'est-ce pas le moi que je crains et que je
fuis, celui que je me dissimule à moi-même, que l'autre
dévoile en me livrant mes quatre vérités ?

Dans sa lettre de rupture à Yann Andréa, Marguerite
Duras pointe l'incapacité à aimer de son ancien compagnon. C'est peut-être cela qui rend les paroles de rupture si amères, le fait qu'elles soulignent avec une acuité
dérangeante ces manques, ces faiblesses que l'on tente
de se cacher à soi-même.

---

1. Lou Andreas-Salomé et Rainer Maria Rilke, *Correspondance*,
Gallimard, 1985, Lettre de Lou Andreas-Salomé à Rilke du 26 février
1901.
2. Philippe Forest, *Le Nouvel Amour*, Gallimard, 2007, p. 127.

Tout serait possible, tout si tu étais capable d'aimer. Je dis bien : capable d'aimer comme on dirait capable de marcher. Le fait que tu ne parles jamais, ce qui m'a tellement frappée, vient de ça aussi, de ce manque à dire, d'avoir à dire. Peut-être est-ce un retard seulement, je l'espère. Tu n'es même pas méchant. Je suis beaucoup plus méchante que toi. Mais j'ai en moi, dans le même temps, l'amour, cette disposition particulière irremplaçable de l'amour. Tu ne l'as pas. Tu es déserté de ça[1].

Ce qui est mis au jour, c'est notre désert intime, notre inquiétude fondamentale, liée au vide profond que nous essayions de dissimuler. Peut-être qu'on nous quitte moins pour ce que l'on est que pour ce que l'on n'est pas. Parce qu'on ne correspond pas au désir de l'autre, mais aussi parce qu'on est profondément déserté par le désir, vide de ce désir dont on nous répète pourtant à l'envi qu'il est censé nous constituer. Ce que l'ancien amant met à nu, c'est ce subterfuge du désir, c'est notre incapacité à faire illusion. L'amour n'existe plus, peut-être même n'a-t-il jamais vraiment existé. Celui qui part reproche finalement à l'autre de ne plus jouer le jeu de dupes attendu. Et les lettres ou les scènes de rupture déclinent cette vacuité angoissante sur une tonalité tragique.

Certains pourtant sont rompus à l'exercice. À force d'être quitté, on finit par encaisser avec plus de contenance les chocs, capacité que l'on nomme en physique « résilience ».

---

1. Lettre de Marguerite Duras à Yann Andréa, 23 décembre 1980.

Les mesquineries de celui ou celle qui nous quitte cessent de nous ébranler. Dans l'incipit de son roman *Haute fidélité*, Nick Hornby met en scène un homme aguerri :

> Mes cinq ruptures inoubliables, mon île déserte permanente, par ordre chronologique : 1) Alison Ashworth 2) Penny Hardwick 3) Jackie Allen 4) Charlie Nicholson 5) Sarah Kendrew.
>
> Celles-là, elles m'ont fait vraiment mal. Regarde bien : tu vois ton nom dans cette brochette, Laura ? […] C'est cruel à dire et je ne veux pas te faire de peine, mais le fait est que nous sommes trop vieux pour nous briser le cœur, et c'est plutôt une bonne chose, alors ne prends pas cet échec trop mal. […] Si tu voulais vraiment me démolir, il fallait me prendre plus jeune[1].

On peut se consoler en voyant dans la décision de nous quitter une sérieuse erreur de jugement. Certains, comme le héros malheureux de Vincent Delecroix, dans l'excellent roman kierkegaardien *Ce qui est perdu*, sont sauvés du désespoir amoureux par l'ironie : « Ton départ m'a laissé […] coi, notamment en raison de sa brutalité et de l'indifférence stupide dont il témoignait, ce qui de plus était une véritable faute de goût[2]. »

Mais parfois, la rupture démolit. L'effondrement menace, comme l'évoque J.-B. Pontalis, parlant de l'un de ses patients : « Il est proche de cet effondrement dans

---

1. Nick Hornby, *Haute fidélité*, 10/18, 1995, incipit.
2. Vincent Delecroix, *Ce qui est perdu*, *op. cit.*, p. 28.

lequel on peut tomber quand celle qu'on aimait, tout à coup, vous quitte[1]. »

Comme s'il fallait, dans la rupture, qu'un sacrifice soit fait. Il arrive que la personne quittée s'effondre. Il suffit même de l'intuition d'un autre amour naissant. C'est cette annihilation produite par le désamour que décrit si justement *Le Ravissement de Lol V. Stein*. Dans une scène de rencontre qui est aussi scène de rupture, Marguerite Duras présente le moment du « ravissement », ce moment où Lol est « ravie », ôtée à la vie, figée dans la stupéfaction, devant cet amour qui naît sous ses yeux et la détruit déjà, amour de son mari, Michael Richardson, pour Anne-Marie Stretter qu'il vient de rencontrer. Lol observe la métamorphose s'opérer en quelques instants. Elle le regarde tomber amoureux d'une autre femme, sous ses yeux, elle le voit incapable de ne rien dissimuler de l'attraction irrésistible qu'il éprouve. Elle le voit devenir autre, sous l'effet de ce coup de foudre, vécu comme un destin :

> Il était devenu différent. Tout le monde pouvait le voir. Voir qu'il n'était plus celui qu'on croyait. Lol le regardait, le regardait changer. […] on comprenait que rien, aucun mot, aucune violence au monde n'aurait raison du changement de Michael Richardson. Qu'il lui faudrait maintenant être vécu jusqu'au bout. Elle commençait déjà, la nouvelle histoire de Michael Richardson, à se faire. Cette vision et cette certitude ne parurent pas s'accompagner chez Lol de souffrance. […] Elle guettait l'événement,

---

1. J.-B. Pontalis, *Marée basse, marée haute*, Gallimard, coll. « Folio », 2014.

couvait son immensité, sa précision d'horlogerie. Si elle
avait été l'agent même non seulement de sa venue mais
de son succès, Lol n'aurait pas été plus fascinée[1].

Regarder la catastrophe s'accomplir sous nos yeux. Voir
les étoiles tomber. Assister à la fin de notre histoire et au
début d'une autre qui s'écrit déjà sans nous. Dans cette
expérience, le sujet se défait, se délite. Il se voit disparaître au profit d'un autre. Duras dit bien la fascination
paradoxale face au cataclysme amoureux qui menace,
face à l'irréversible et à l'impensable. La rupture est ici
l'« événement », elle est Méduse, qui fige dans l'instant et
statufie Lol tout en accélérant le temps : « Lol resta toujours là où l'événement l'avait trouvée lorsque Anne-Marie
Stretter était entrée, derrière les plantes vertes du bar[2]. »
L'amour si soudainement et si violemment redistribué les
fait tous devenir autres, les projette dans une temporalité
folle qui détruit Lol V. Stein[3].

Observer impuissant l'événement qui nous démolit,
être témoin de ce qui signe notre mise à mort. Comme le
dit Marguerite Duras, « Lol a assisté à cet amour naissant.
Elle a assisté à la chose aussi complètement qu'il est possible, jusqu'à se perdre de vue elle-même[4] ». Pour Duras,

---

1. Marguerite Duras, *Le Ravissement de Lol V. Stein*, Gallimard,
coll. « Folio », 1998, p. 18 : « Tatiana avait vu comme ils avaient
vieilli […] tous les trois ils avaient pris de l'âge à foison, des cen-
taines d'années, de cet âge, dans les fous, endormi. »
  2. *Ibid.*, p. 20.
  3. *Ibid.*, p. 19-20.
  4. Caroline Champetier, « Marguerite Duras », *Un siècle d'écrivains*, n° 90, France 3, 18 septembre 1996.

cette scène, cette vision de l'amour naissant est l'annu-
lation de soi de Lol. Celle-ci « entre dans l'intelligence
du meurtre d'Anne-Marie Stretter à son endroit[1] ». Ce
roman décrit l'abolition d'un sujet, il s'agit selon Duras,
d'un « meurtre » qu'une femme exécute en prenant la
place d'une autre. Lol est détruite par l'évanouissement
de l'amour que lui portait Michael R., comme si elle
cessait d'exister avec la disparition de cet amour. Il n'y
a plus véritablement de Lol, il n'y a, dit Duras, qu'une
« souffrance sans sujet[2] ». Comme si Lol s'était absentée,
comme si elle avait été « ravie », soustraite à ce monde
qu'elle ne traverse plus que comme présence diaphane,
fantomatique. Dans cette situation radicale, cet effet
extrême du désamour sur l'être délaissé, le sujet renonce
à lui-même, s'absente de lui-même. Il ne semble même
pas à même de « souffrir sa souffrance[3] », puisqu'il n'est
plus capable de s'estimer lui-même, dans tous les sens
du terme[4].

Dans les situations les plus brutales, comme celle que
l'on vient d'évoquer, le désamour détruit l'être délaissé.

---

1. Marguerite Duras, *La Vie matérielle*, P.O.L, 1987, p. 20.
2. *Ead.*, *Le Ravissement de Lol V. Stein*, *op. cit.*, p. 23 : « La
prostration de Lol, dit-on, fut alors marquée par des signes de souffrance. Mais qu'est-ce à dire qu'une souffrance sans sujet ? »
3. Selon l'expression de Paul Ricœur dans « La souffrance n'est
pas la douleur », dans Claire Marin et Nathalie Zaccaï-Reyners (dir.),
Souffrance et douleur. Autour de Paul Ricœur, PUF, coll. « Questions
de soin », 2015, p. 25.
4. *Ibid* : « On semble ici sorti de la sphère où il peut y avoir
estime ou mésestime, par passage à la limite de l'impuissance à
s'estimer soi-même. »

On peut mourir psychiquement d'un chagrin d'amour, se vider de soi, disparaître. Pourquoi une séparation amoureuse est-elle parfois si insupportable ? Parce que dans cette brusque révolution intime, je ne sais plus qui je suis, je ne sais plus *si* je suis.

Toutes les ruptures amoureuses ne sont pas, heureusement, de la même violence. Mais le désamour produit un profond ébranlement. Qui est-on encore quand on cesse de nous aimer ? Puis-je perdre les qualités que me conférait l'amour de l'autre sans me perdre moi-même ? « On n'aime personne que pour des qualités empruntées[1] » : selon Pascal, c'est à l'amour des autres que l'on emprunte, dans un jeu de dupes, nos propres qualités. Parfaitement impropres. C'est pourquoi la séparation est cruelle. Soudain, je cesse d'être cette personne attirante, intelligente, généreuse ou drôle. Non pas que je l'aie vraiment été, mais je l'étais à tes yeux. C'est la certitude de mon identité qui vacille. L'illusion d'un moi s'évanouit. Qui suis-je encore maintenant que je ne suis plus rien pour toi ?

Me vient en tête le terme sans doute excessif de « répudiation ». Il dit pourtant assez justement le sentiment de rejet que peut éprouver celui que l'on quitte. Mais il est surtout très significatif : on répudie celui qui suscite en nous la *pudor*, la honte. Qu'est-ce qui autorise, dans certains pays, qu'un homme répudie sa femme ? Qu'elle soit stérile. Cette femme défaillante est une fausse promesse.

---

1. Pascal, *Pensées*, Lafuma 688.

Elle contamine son époux de son défaut, le ridiculise. Qu'est-ce qu'un homme sans descendance ? On s'interrogera, regards en coin, sourires entendus, sur sa virilité ? Parce que sa femme le dévalue, il la repousse au plus loin, pour éviter d'être lui aussi un être du défaut et du manque. Il faut dire alors l'autre douleur de la rupture : la honte d'être désormais un objet de honte. Ce n'est pas seulement perdre sa valeur, c'est être considéré comme indigne d'amour. Être relégué dans le ghetto de ceux qui ne valent pas d'être aimés, qui ne le méritent plus. La violence rétrospective est sans limites, elle relit l'histoire : a-t-on en fait jamais mérité de l'être ? Tout cela n'est-il pas, depuis le début, un parfait malentendu ? Car c'est bien aussi la question de ma valeur qui se joue dans la relation amoureuse, comme le rappelle Roland Barthes dans les *Fragments d'un discours amoureux*. C'est de l'amant que j'attends une réponse à cette inquiétude essentielle, « qu'est-ce que je vaux ? » :

> Je cherche des signes, mais de quoi ? Quel est l'objet de ma lecture ? Est-ce : suis-je aimé (ne le suis-je plus, le suis-je encore) ? Est-ce mon avenir que j'essaye de lire, déchiffrant dans ce qui est inscrit l'annonce de ce qui va m'arriver, selon un procédé qui tiendrait à la fois de la paléographie et de la mantique ? N'est-ce pas plutôt, tout compte fait, que je reste suspendu à cette question, dont je demande au visage de l'autre, inlassablement la réponse : qu'est-ce que je vaux[1] ?

---

1. Roland Barthes, *Fragments d'un discours amoureux*, dans *Œuvres complètes*, t. V, *1977-1980*, Seuil, 2002, p. 263.

Le désamour est alors l'expérience cruelle d'une déva-
luation. « Je ne suis pas détruit, mais laissé là, comme
un déchet », dit Barthes. La femme rompue, en écho, se
sent « parfaitement misérable[1] ». La rupture me rabaisse
et m'humilie, quelle que soit la gentillesse de celui qui
me quitte. Il m'ôte la parure que son affection m'offrait,
me laisse dans la nudité d'un être dépouillé.

Désormais, toi, l'être aimé, tu te tiens à part. Tu affirmes
que nous pouvons être séparés, comme si dans ce « nous »,
il y avait eu deux parties distinctes, là où nous éprouvions
une union, un mélange. Être quitté, c'est se sentir amputé
d'une part vitale de soi-même. « Nous étions à moitié de
tout […] je ne suis plus qu'à demi », dit Montaigne. Le
corps de l'amour, ce corps chimérique que l'amour avait
formé se scinde, se déchire.

« Quand une nouvelle vie s'annonce, faut-il qu'une
autre s'efface après qu'elles ont été si longtemps mêlées
au point de devenir inséparables[2] ? » se demande J.-B.
Pontalis. Comment séparer des corps et des esprits qui se
sont fondus l'un dans l'autre au point de ne plus savoir
ce qui était à l'un, ce qui était à l'autre. Dans le dialogue,
dit Merleau-Ponty, je finis par ne plus reconnaître quelle
était mon idée. Dans la complicité et la fréquentation

---

1. Simone de Beauvoir, *La Femme rompue*, Gallimard,
coll. « Folio », 2012, p. 164 : « Mercredi 3 novembre. La gentillesse
de Maurice m'est presque pénible […] plus jamais il ne m'em-
brasse sur la bouche. Je me sens parfaitement misérable. »
2. J.-B. Pontalis, *Marée basse, marée haute*, *op. cit.*

quotidienne de l'amour, je finis par ne plus savoir ce qui
est proprement mien et ce que j'ai adopté. On stigmatise
l'habitude comme poison de l'amour, mais c'est aussi
cette « habitude d'être » partagée qui fait la fluidité d'une
chorégraphie amoureuse. L'autre était mien, comme
fondu en moi. Les corps mélangés devenaient indistincts[1].

Ce qui manque dans la rupture, c'est le tutoiement
des chairs, les paroles murmurées, la circulation souple
des mains, le ballet des corps liés et déliés à la fois, qui
s'abandonnent l'un à l'autre dans le sommeil, tout en
se protégeant mutuellement. Ce qui nous manque, c'est
le corps de l'autre comme prolongement du nôtre, plus
exactement comme partie du nôtre. Quand l'autre cesse
de m'aimer, c'est comme si je perdais mes propres limites,
mon être s'écoule hors de moi, se vide. Hémorragie du
sujet délaissé.

« C'est terrible quand un couple se déchire. » J'ai
entendu mille fois l'expression « se déchirer », mais soudain elle prend sens. Face à l'épreuve, le recours au cliché
peut sembler relever de la facilité. Et pourtant, comme
souvent dans la rupture amoureuse, c'est dans le cliché
que se dit l'exacte vérité : un couple se déchire, cela ne
signifie pas que les anciens amants se disputent. Cela
signifie qu'ils essaient réellement de s'extraire d'une

---

1. Philippe Forest, *Le Nouvel Amour, op. cit.*, p. 145 : « Les bras
ouverts, les jambes écartées, le tutoiement des ventres, le face-
à-face de deux corps allongés l'un sur l'autre dans l'horizontalité
du lit, la respiration partagée du sommeil, l'entremêlement des
membres au matin, l'extraordinaire familiarité des gestes […], être
présent dans la proximité de l'autre. »

matière commune, d'un corps affectif, mais aussi du corps physiologique que leur couple avait créé. Cette rupture est déchirement car chacun tente de retrouver son corps propre là où l'amour et la vie de couple avaient créé au fil du temps une chimère, un corps commun où ils étaient entremêlés, une habitude réciproque des corps qui constituait un corps partagé, invisible mais présent, prolongement de leur corps réel. Mon corps amoureux, c'est un corps qui s'autorise des embardées sur ton corps, qui sans cesse empiète sur lui, c'est ce corps qui s'en saisit pour le rapprocher de soi, pour le caresser, l'enlacer. Ton corps aimé, c'est une chair qui m'est ouverte et offerte à mon contact, qui supporte ou recherche ma proximité. Ton corps si proche étend le mien, comme un nouveau domaine de mon être. Nos corps se sont faits rhizomes au fil des années et ont laissé filer leurs lignes de fuite un peu partout dans l'espace physique de l'autre. Celui qui s'extrait de ce corps commun, de cette chimère affective que l'amour a créée, condamne l'autre à dépérir avec ce bout de corps meurtri.

La rupture est expérience de l'arrachement. Arrachement de ce que l'on tenait pour nôtre, de ce que l'on avait littéralement incorporé à notre être. Ce n'est pas seulement que l'autre s'éloigne, emportant un peu de moi, c'est qu'il m'écorche, il m'ôte cette peau d'amour, cette enveloppante protectrice et rassurante, sa présence et son attention, il me prive de ses regards séducteurs, fiers ou bienveillants. Peau de mots, peau de regards, peau de caresses. Je suis soudain nu, sans carapace, sans pelage, avec ma colère pour seule arme, ma tristesse en lambeaux. Plus nu que l'animal le plus vulnérable. Je ne suis pas seulement rendu fragile, mais privé de moi-même, privé de mon être et de mon corps, comme amputé.

La fin d'une histoire se manifeste d'ailleurs dans la modification d'un rythme implicite, rythme de ces corps, qui devient décalé. Les amants ne marchent plus du même pas. De petits signes avant-coureurs apparaissent, la chorégraphie intime perd de son allant, de son évidence. En cassant cette habitude commune, un corps dit déjà qu'il a mis une distance. Ces légers écarts, ces petites ruptures dans la continuité des gestes familiers trahissent un être qui s'éloigne, une affection qui faiblit. Ruptures dans le ballet des corps amoureux, évanouissement de la présence ; l'amant tente de s'éclipser. Sa présence s'affaiblit, comme s'il s'effaçait progressivement. C'est ce que Roland Barthes nomme le « fading[1] ». J'entends à ta voix que tu n'es plus vraiment là, ta voix meurt, elle n'est plus que fantôme[2]. Quand l'amour sort de ma vie, ce n'est pas

---

1. « FADING. Épreuve douloureuse selon laquelle l'être aimé semble se retirer de tout contact, sans même que cette indifférence énigmatique soit dirigée contre le sujet amoureux ou prononcée au profit de qui que ce soit d'autre, monde ou rival. » (Roland Barthes, *Fragments d'un discours amoureux, op. cit.*, p. 145.)

2. Roland Barthes, *op. cit.*, p. 147 : « Le fading de l'autre se tient dans sa voix. La voix supporte, donne à lire et pour ainsi dire accomplit l'évanouissement de l'être aimé, car il appartient à la voix de mourir. Ce que fait la voix, c'est ce qui, en elle, me déchire à force de devoir mourir, comme elle était tout de suite et

seulement son corps, son sexe, la densité de sa présence charnelle que je regrette. Je manque aussi cruellement de sa voix. Le silence qui suit la rupture est d'une grande violence. L'adresse, le chuchotement, l'ironie ; tout ce que la voix porte d'attention, d'affection, de désir disparaît. Et je disparais avec cette voix qui ne s'adresse plus à moi[1]. Mon prénom cesse de résonner. Et que faire désormais du tien que j'ai prononcé avec tant de joie et d'espoirs ? Il n'y a plus d'éclats de rire, de soupirs, de questions, la vie perd ses inflexions, elle devient muette.

Certains ne rompent plus, mais jouent aux fantômes. « *Ghosting* » est le nouveau nom d'une vieille lâcheté. On part sans le dire, on se contente de disparaître. Comme pour nier le fait que l'amour a entremêlé nos corps, les a confondus. Il ne suffira pas de disparaître des écrans pour cesser d'exister dans la tête et dans le corps de l'autre. Parce que l'amour laisse en moi les traces du corps aimé, parce qu'il a façonné le mien, il y reste longtemps inscrit. Souvenirs d'une peau lisse, de la pulpe charnue des lèvres, des cheveux en bataille, d'une voix grave. Les lieux, les images, les odeurs, les musiques, les paroles des chansons ne cessent de raviver douloureusement ces traces sensibles. Torture de la mémoire amoureuse, qu'un rien sollicite quand on voudrait oublier. Force des objets et des espaces qui remémorent l'ancien amour ; sadisme

---

ne pouvait être jamais rien d'autre qu'un souvenir. Cet être fantôme de la voix, c'est l'inflexion. »

1. Comme le met magnifiquement en scène *La Voix humaine* de Cocteau.

des rêves qui ressuscitent les étreintes et fantasment les réconciliations.

Que me reste-t-il quand tu me quittes ? Comment m'en sortir ? Qu'on soit bien clair, il n'est pas assuré que cela soit toujours possible. On meurt encore d'amour. On peut aussi s'enliser dans la rupture, la subir sur un mode tragique, se vautrer dans son drame, le vivre comme une expérience de la malédiction. « M comme mauvaise rencontre », dit Grégoire Bouillier dans son *Dossier M.* Dix ans à décliner sous tous les modes l'obsession de la figure aimée et perdue, l'impossible deuil amoureux. Dix ans à retranscrire dans tous les domaines la compulsion, la systématicité et l'intensité passionnelles, jusque dans l'humiliation, la déchéance et l'abjection. Car c'est aussi parfois ce que la rupture fait de nous. Un être méconnaissable, devenu méprisable comme pour donner raison à celui qui l'a quitté.

La rupture nous transforme, nous agresse physiquement. Elle est une expérience sensible, incarnée. L'obsession de la perte ronge intérieurement. On sent couler l'acide à mesure que s'égrènent les phrases assassines ou la bienveillance gênée de l'ancien amant. Cette violence symbolique produit un effet physique. Cœur affolé, palpitations, tremblements, vertige, nausée ; ce qui faisait ma contenance, mon assise, s'est brisé en moi. La rupture s'écrit sur mon corps. Dos voûté, traits tirés, voix tremblante, silhouette amaigrie. Ou bien visage bouffi, cheveux sales, vêtements froissés. C'est en fait tout mon être qui est froissé, définitivement marqué par la rupture qui nous écrase et nous abîme, comme le dit bien Hélène Gestern dans *Un vertige :* « Je me suis sentie comme une feuille de papier froissé. Qu'il parte, qu'il revienne, celui que j'aimais n'ôterait plus la marque qu'il venait d'imprimer[1]. » Être rompu n'est pas seulement une expression métaphorique. La rupture fait de nous un être brisé[2].

La douleur n'est pas seulement psychique, mais réelle, sensible, corporelle. Douleur du manque, qui crée une sensation de malaise, de nausée, de brûlure. Pression dans la poitrine, souffle court, sueurs ; le corps manifeste la brutalité de la disparition. En partant, l'autre emporte des bouts de moi et me laisse avec la tâche de réparer ce corps blessé. Dans *Ça raconte Sarah*, roman d'une passion amoureuse, Pauline Delabroy-Allard insiste sur la dimension corporelle de la rupture, ses effets physiques violents. Le départ de l'ancienne amante produit un évidement douloureux, le corps se consume littéralement dans ce manque. Sarah s'efface avec légèreté, mais la narratrice anonyme vit cette disparition comme une dévastation intérieure :

> Elle ne me téléphone pas. Elle ne me court pas après dans la rue, dans les couloirs du métro. Elle ne m'écrit pas dans les jours qui suivent, elle ne demande pas qu'on aille au théâtre, voir la mer, visiter un jardin,

---

1. Hélène Gestern, *Un vertige*, suivi de *La Séparation*, Arléa, 2017, p. 18.
2. *Ibid :* « J'avais touché le point limite de mon expérience, et [...] désormais, le temps serait celui de la cicatrice, de l'oblitération et du retrait. »

boire un thé, manger japonais. Elle ne me demande pas de mes nouvelles, elle ne demande pas de nouvelles de l'enfant. Elle ne sait pas que mon corps entier me brûle, que ma tête est un brasier continu, que je n'ai jamais ressenti une douleur physique aussi sourde et aussi forte[1].

Il ne s'agit pas d'une métaphore, mais d'une réelle douleur corporelle. Le besoin de l'autre paraît vital et l'image de la brûlure dit l'être à vif. Le corps est encore habité par le souvenir de la présence de l'autre, qui n'est plus que torture. Cette présence qui était principe vital est désormais violence intérieure, élément destructeur[2]. Comme dans une addiction, la narratrice présente les symptômes d'un manque physiologique[3]. Le corps délaissé est méconnaissable. Il porte les stigmates d'une insupportable jachère amoureuse. Il n'est plus investi par les regards, les caresses, les empreintes de l'autre et ne vit plus qu'au ralenti, sur un mode de survie, dans un abandon redoublé, délaissé par son propriétaire, maltraité. Ce corps douloureux, j'achève alors de le faire souffrir. Je

---

1. Pauline Delabroy-Allard, *Ça raconte Sarah*, Éditions de Minuit, 2018, p. 96.
2. Pauline Delabroy-Allard, *op. cit.*, p. 99 : « Mon corps me brûle, même sans eau de mer. Toutes ces cicatrices, et ce feu dans mon ventre quand je t'entrevois, et toutes ces nuits, ces images de toi, que je regarde passer au plafond comme des comètes… »
3. *Ibid.* : « […] Le manque de Sarah me fait trembler. Je passe mes journées à pleurer, les larmes coulent sans bruit le long de mon cou, et viennent mourir sur mes seins. J'ai les yeux bouffis et les joues cramées de sel. »

l'affame ou le gave, je lui refuse le sommeil ou le repos, je l'abrutis d'alcool, de drogues ou de somnifères pour ne plus rien ressentir. Je rentre dans une vie blanche, une vie de latence[1].

La rupture m'enlaidit, comme si mon corps donnait raison à celui qui me quitte. On maigrit jusqu'à l'os, on enfle comme une baudruche, les cernes dessinent des champs de mines sous nos yeux. On ne sait plus sourire. La rupture est aussi défiguration. Mon être et ma vie changent de figure, de forme, passent par l'informe, deviennent méconnaissables. Je suis littéralement défait. Les comédies américaines déclinent à l'envi ces portraits d'héroïnes malheureuses aux yeux rougis qui se gavent de glace devant un film. Mais au-delà de ces clichés légers, le désespoir qui me saisit dans le chagrin d'amour s'inscrit dans mes traits et sur ma silhouette.

Quelque chose en moi vieillit prématurément[2]. Mon visage garde la marque de cette démolition. L'histoire d'amour et de désamour laisse ses traces sur le visage parchemin. Parfois, la rupture, qu'elle soit amoureuse ou plus généralement biographique, nous laisse un visage détruit. La femme délaissée, le malade, le veuf exhibent

---

1. Tel est le terme qu'utilise la narratrice pour décrire son état dépressif, empruntant la définition de « latence » à un dictionnaire médical (*ibid.*, p. 99).

2. « J'évite de me regarder. Je n'ose plus allumer dans le cabinet de toilette. Hier je me suis retrouvée nez à nez avec une vieille dame… Non, non ! Une vieille dame maigre avec des cheveux blancs et une foule de petites rides. » (Jean Cocteau, *La Voix humaine*, Stock, 2002, p. 33.)

les stigmates de leur douleur[1]. Le visage, comme le disait Paul Valéry, nous trahit parfaitement, on ne devrait peut-être pas le donner à voir avec autant de générosité[2]. L'épreuve s'écrit sur mon visage. C'est par ce constat que débute *L'Amant* de Marguerite Duras :

> Entre dix-huit et vingt-cinq ans mon visage est parti dans une direction imprévue. À dix-huit ans j'ai vieilli. Je ne sais pas si c'est tout le monde, je n'ai jamais demandé. Il me semble qu'on m'a parlé de cette poussée du temps qui vous frappe quelquefois alors qu'on traverse les âges les plus jeunes, les plus célébrés de la vie. Ce vieillissement a été brutal. Je l'ai vu gagner un à un mes traits, changer le rapport qu'il y avait entre eux, faire les yeux plus grands, le regard plus triste, la bouche plus définitive, marquer le front de cassures profondes. [...] Ce visage-là, nouveau, je l'ai gardé. Il a été mon visage. Il a vieilli encore bien sûr, mais relativement moins qu'il n'aurait dû. J'ai un visage lacéré de rides sèches et profondes, à la peau cassée. Il ne s'est pas affaissé comme certains visages à traits fins, il a gardé les mêmes contours mais sa matière est détruite. J'ai un visage détruit[3].

Il y a sans doute deux manières de vieillir. On peut concevoir le vieillissement comme un processus progressif

---

1. Comme nous l'avions étudié dans *La Maladie, catastrophe intime* (PUF, coll. « Questions de soin », 2015).
2. Paul Valéry, *Le Visage*, dans *Œuvres*, Gallimard, coll. « Bibliothèque de la Pléiade », 1957, t. I, p. 347.
3. Marguerite Duras, *L'Amant*, Gallimard, 1984.

ou à l'inverse, comme un « événement », « une rupture soudaine, un accident en vol »[1]. L'épreuve imprime sa marque sur notre corps et notre visage. La manière dont cet accident nous projette dans une autre temporalité accélère notre vieillissement, au sens où elle réduit notre résistance, et puise dans nos capacités de réplique devient visible. Il y a quelque chose de l'ordre du précipité chimique et de l'accélération temporelle : l'accident fait brusquement surgir la nouvelle forme de notre être[2].

Ce n'est pas seulement mon corps et mon esprit que la rupture amoureuse saccage, c'est le monde qu'elle dévaste. Elle laisse un monde à la fois surpeuplé et désolé. Rien n'échappe à la marque de cette coupure existentielle, tout en porte les traces visibles. Pour l'être quitté, il faut faire avec ce qui reste, avec ce grand débarras que devient sa vie lorsque l'autre part, laissant une montagne de souvenirs douloureux. Que faire de ces gages d'un amour dévalué ? De cette vie fantôme qui hante les couloirs de l'appartement, les rues du quartier, les lieux de vacances, mais qui se glisse aussi dans les pages des livres, dans les refrains des chansons, cette vie amoureuse perdue qui s'affiche, narquoise, sur les visages de ceux – comment font-ils ? – qui s'aiment sans se séparer.

---

1. Ainsi que le propose Catherine Malabou dans *Ontologie de l'accident*, *op. cit.*, p. 43.
2. *Ibid.* : « Quelque chose arrive, qui précipite le sujet dans la vieillesse, qui imprime au devenir-vieux une chute qui est et n'est pas son actualisation. Un accident idiot, une mauvaise nouvelle, un deuil, une douleur, et le devenir se fige, brusquement, qui fabrique un être, une forme, un individu inédits. »

Les choses, reliques de l'ancienne vie partagée, demeurent tout en changeant de statut. Dans *La Femme rompue*, Simone de Beauvoir analyse avec froideur la manière dont se délite l'existence d'une épouse quittée. C'est tout un monde commun qui se vide de sa substance, les objets sont creux, comme si la vie désertait les témoins silencieux d'un amour perdu[1]. Les choses ne constituent plus un univers rassurant, elles ne sont qu'une vaine imitation d'elles-mêmes. Que valent encore ces objets s'ils ne sont plus partagés, s'ils ne sont plus que le *memento* d'un amour mort ? Tout ce qui était familier paraît désormais étranger ou suspect, complice d'une trahison[2]. La femme rompue se prend ainsi à détester sa voiture[3].

L'expérience de la rupture est littéralement une dislocation, je suis exproprié, ma maison cesse d'être la mienne. La rupture amoureuse me force à une désolidarisation douloureuse[4]. C'est ainsi la manière dont nous avions

---

1. *Cf.* Simone de Beauvoir, *La Femme rompue*, *op. cit.*, p. 210 : « Mercredi 16. […] Il me semble n'avoir plus rien à faire. J'avais toujours des choses à faire. Maintenant, […] tout me semble vain. L'amour de Maurice donnait à ma vie une importance à chaque moment de ma vie. Elle est creuse. Tout est creux : les objets, les instants. Et moi. »

2. *Cf. ibid.*, p. 152 : « Les objets ont l'air d'imitations d'eux-mêmes. La lourde table du living-room : elle est creuse. Comme si on avait projeté la maison et moi-même dans une quatrième dimension. »

3. *Cf. ibid.*, p. 174 : « Je l'aimais notre voiture, c'était un fidèle animal domestique, une présence chaude et rassurante ; et soudain elle servait à me trahir ; je l'ai détestée. »

4. Lydia Flem, *Comment j'ai vidé la maison de mes parents*, Seuil, 2004, p. 50 : « Les choses ne sont pas seulement les choses,

investi, habité ensemble le réel, qui apparaît lors d'une séparation amoureuse. Éponges affectives, les choses sont imprégnées des sentiments que nous avons éprouvés en les acquérant, les réparant. Elles sont les marqueurs du temps partagé, totems dérisoires d'un amour balafré. Pour l'héroïne malheureuse de Simone de Beauvoir, les choses sont désormais nues, dépouillées de leur ancienne splendeur[1].

Les objets semblent délavés. Il n'en reste plus que le souvenir mort. Ils ont cessé d'être vivants pour moi. Ils sont littéralement insupportables. Je ne peux plus porter ces vêtements, cette bague, ce parfum. Je ne veux plus voir ces traces abîmées ou ironiques d'un amour disparu. Ce qui est perdu avec la rupture amoureuse, c'est le monde commun, désormais désolé, ravagé. Je vois apparaître alors les liens invisibles dans lesquels j'étais pris, toile d'araignée soudainement vénéneuse. Ces choses que je ne regardais plus me disent maintenant : le monde auquel nous appartenions n'existe

---

elles portent des traces humaines, elles nous prolongent. [...] Chacun[e] a une histoire et une signification mêlées à celles des personnes qui les ont utilisées et aimées. Ils forment, ensemble, objets et personnes, une sorte d'unité qui ne peut se désolidariser sans peine. »

1. Simone de Beauvoir, *ibid.*, p. 232 : « Je regarde ma statue égyptienne : elle s'est très bien recollée. Nous l'avions achetée ensemble. Elle était toute pénétrée de tendresse, du bleu du ciel. Elle est là, nue, désolée. Je la prends dans mes mains et je pleure. Je ne peux plus mettre le collier que Maurice m'a offert pour mon quarantième anniversaire. Tous les objets, tous les meubles autour de moi ont été décapés par un acide. Il n'en demeure qu'une espèce de squelette, navrant. »

plus. Elles ne sont plus douces, complices, elles me remémorent des souvenirs douloureux. Le monde se vide de sa substance, devient creux. Il se déréalise, selon la belle définition de Barthes : « Déréalité. Sentiment d'absence, retrait de la réalité éprouvé par le sujet amoureux face au monde[1]. » Nous finissons par nous perdre. Dans cette vie « blanche » à laquelle la rupture nous abandonne, nous ne sommes plus que des figurants[2].

Comment alors rompre avec la rupture, avec ce déchirement qui n'en finit pas ? « Maintenant je vais compter jusqu'à douze et tu te tais et je m'en vais[3] », dit Pablo Neruda dans son poème intitulé « Se taire ». On aimerait que toute séparation se règle si facilement. On aimerait que les choses soient simples, que la coupure soit franche. Que la vie affective se décline sur un mode binaire, comme en mathématique. Vue de l'extérieur, la situation devrait tomber dans l'une des deux catégories, comme le dit très justement Cocteau : « Pour les gens, on s'aime ou on se déteste. Les ruptures sont des ruptures. Ils regardent vite. Tu le leur feras jamais comprendre[4]… » Mais la séparation s'étire, elle se perd en points de

---

1. Roland Barthes, *Fragments d'un discours amoureux*, *op. cit.*, p. 213.
2. *Cf.* Annie Ernaux, *Se perdre*, Gallimard, coll. « Folio », 2001, p. 286, 316.
3. Pablo Neruda, « Se taire », dans *Vaguedivague* [*Estravagario*, 1958], Gallimard, 1971.
4. Jean Cocteau, *La Voix humaine*, Stock, 2002, p. 53.

suspension, en silences, en hésitations. Elle passe par des circonvolutions, des doutes, des incertitudes. On aimerait tout effacer, mais il reste toujours des petits fragments de ce passé qui ont résisté au grand élagage. La douleur se cache dans les détails de la mémoire. Quand bien même j'aurais voulu tout détruire, il restera toujours les traces de la destruction. La marque des photos décrochées, les vides dans la bibliothèque, la brosse à dents solitaire. Les séquelles de la rupture sont comme des particules fragmentées qui s'obstinent douloureusement à la marge de nos pensées.

> Voyez-vous, c'est cela le plus difficile, ces petits fragments de souvenirs, ces tessons de sensation qui affleurent à la surface de mon existence ou qui insistent désagréablement sur la couche supérieure de mon épiderme. Les grandes sensations, les grandes images, déjà abstraites, il est facile de s'en débarrasser, les souvenirs en forme, ceux que l'on peut nommer, c'est facile – mais pas ces petits morceaux.
>
> [...] Ces bouts de souvenirs sont encore plus douloureux, par leur aspect fragmentaire, que les bâtiments du souvenir, parce qu'ils portent la trace de la destruction et leur présence mutilée est plus significative encore que leur présence entière[1].

La douleur de la rupture est celle d'un arrachement qui n'en finit pas, séparation qui se répète à chaque réveil, arrachement au monde du rêve qui est souvent en retard

---

1. Vincent Delecroix, *Ce qui est perdu*, *op. cit.*, p. 34-35.

sur le réel, dans le réconfort des souvenirs, de l'ancienne
vie partagée, espace de la réconciliation espérée. La catastrophe, le monde qui s'effondre, se rejoue chaque matin,
torture sans cesse réitérée. Être séparé, c'est, comme le
dit très justement le romancier Antoine Wauters, « être
séparé des tas de fois, pendant des mois et des années ».
Être séparé, c'est vivre dans la souffrance du manque, le
souffle court, le cœur pressé, les gestes anxieux. C'est ne
plus voir que l'absence qui saute aux yeux :

> Mais elle ne bougeait pas et fixait le vide tout autour
> d'elle, le corps absent de Zio, sa découpe blanche
> dans le soleil, pendant que je songeais qu'être séparé
> de quelqu'un, c'est être séparé non pas une fois seu-
> lement et pour de bon, mais des tas de fois, pendant
> des jours, des mois et des années, jusqu'à ce que le
> manque, enfin, en ait assez de vous butiner le cœur.
> Voilà, je me disais : être séparé, c'est être séparé des
> tas de fois, pendant des mois et des années, jusqu'à ce
> que le manque en ait assez et vous laisse peu à peu en
> paix, si c'est possible[1].

La femme de Zio ne voit plus que le corps absent, le
monde déserté. La visibilité de l'absence éblouit violemment. Il manque, il était ce autour de quoi le monde se
découpait, le premier objet, le premier plan, le point
focal du reste du monde. La séparation se répète sans
cesse, elle se rappelle à la conscience à chaque endroit

---

[1]. Antoine Wauters, *Pense aux pierres sous tes pas*, Verdier,
2018, p. 141.

où la silhouette fait défaut, que les petites aiguilles intérieures reviennent à la charge, ces piqûres de la séparation, le cœur « butiné » par le manque, comme le dit
Wauters.

Puis vient le temps où la douleur s'estompe, l'absence
devient en quelque sorte familière. Il y a ce moment où
l'on se dit « tiens, je n'ai plus si mal ». Où l'on se surprend,
oui par hasard, on se rend compte qu'on pensait à lui ou
à elle sans trop souffrir. Je pense à lui et non plus à « toi »,
il est passé à la troisième personne, à l'arrière-plan, sur
le plan indéfini des « ils », il a perdu ce statut du « tu »
intérieur, celui à qui je veux raconter ce qui m'est arrivé,
ce que je crains, ce que j'espère. La séparation s'amorce
dans l'évanouissement du « tu ».

Il y a sans doute quelque chose comme un « travail » de
séparation, de désunion, de reconfiguration des espaces
physiques et psychiques, un effort d'adaptation à l'absence de l'autre. Se désaccoutumer de sa présence, se
déshabituer de la forme que prenait notre monde, qui
tournait autour de sa silhouette. Accepter la rotation des
planètes, esquisser de nouvelles constellations intimes.
Apprivoiser la solitude, y creuser un espace personnel,
qui ne soit pas pur vide.

Parfois pourtant, l'amour cesse brutalement. Et l'on
retrouve l'idée d'un point de rupture, d'un moment de
basculement dans l'irréparable qui brise immédiatement
la relation. Dans sa nouvelle *Le Jeu de l'auto-stoppeur*,
Milan Kundera décrit autrement cet évanouissement
soudain de l'amour que produit l'humiliation dans le

jeu amoureux. Il nous permet aussi subtilement de comprendre comment, au sein d'une situation initialement
consentie, le sentiment d'être agressé(e) ou violé(e) peut
surgir. Faisant semblant d'avoir pris son amie en auto-stop,
le jeune homme s'autorise des mots et des attitudes qui ne
lui correspondent pas. Vulgaire, humiliant, provocateur,
il est méconnaissable. Tout ce qu'il dit s'inscrit dans le
jeu de rôles, mais en dit sans doute plus sur lui qu'il n'ac-
cepterait de le reconnaître. La vérité délivrée dans cette
comédie est cruelle. Et cette situation fictive produit un
effet de réel immédiat : l'amour de la jeune fille disparaît,
instantanément brûlé par ces paroles, ces regards, ces
gestes. Sa manière de la posséder sexuellement, comme
si elle était une prostituée, tue définitivement leur amour :
« Puis tout fut fini. Le jeune homme s'écarta d'elle et tira
sur le long cordon qui pendait au-dessus du lit ; la lumière
s'éteignit[1]. »

Si la conscience de la fin de l'amour est ici immédiate,
il se peut que cet irréparable n'apparaisse que rétrospec-
tivement, lorsque l'on se ment à soi-même pour préserver
à tout prix une relation à laquelle on ne veut pas renoncer. Mais sans doute sait-on depuis un moment, dans une
petite mélodie dissonante qui nous hante en sourdine,
que certaines paroles, certains mensonges, certaines trahisons ne passeront pas[2].

---

1. Milan Kundera, *Risibles amours*, Gallimard, 1986, p. 115, § 12.
2. Philippe Forest, *Le Nouvel Amour*, *op. cit.*, p. 124 : En
amour, il y a des choses irréparables dont on ne perçoit pas, sur le
moment, vers quel déchirement, quel ennui, quel désespoir elles
vous poussent pour toujours. Cela paraît trop énorme et trop triste.

On peut tout faire pour prolonger artificiellement une histoire dont on sait qu'elle est en réalité déjà brisée ou l'on peut décider de trancher dans le vif, de mettre fin brutalement à ce qui nous épuise, dans la répétition de fausses ruptures. Dans *Un vertige*, Hélène Gestern décrit la disparition décidée par la narratrice, dévastée par les allers-retours amoureux incessants de son amant. Anéantie par la torture de l'attente à laquelle elle est sans cesse condamnée, elle décide de rompre définitivement avec lui et cesse pour ainsi dire d'exister au monde[1]. Ce n'est pas seulement une relation affective qu'elle suspend, c'est, de manière plus radicale, son rapport au monde, dans un rituel de mise à mort symbolique, qui montre à quel point la fin d'un amour peut être vécue comme une suspension de la vie en nous, comme une expérience de folie, une expérience du « néant[2] ».

————————

On ne veut pas y croire. On se dit qu'il y aura toujours moyen de revenir en arrière. Mais, au fond de soi, on sait déjà le mensonge auquel on cède et que l'irréversible, en réalité, a eu lieu.

1. Hélène Gestern, *Un Vertige*, suivi de *La Séparation*, *op. cit.*, p. 17 : « Cesser d'attendre, ne plus vivre suspendue au courrier, ne plus exister seulement dans la dynamique de la déception et du désespoir. Trancher dans le vif. Après qu'il m'a demandé de plus lui adresser de courrier à son domicile, pour ne pas le mettre en danger, je me suis tue pour de bon. J'ai souhaité ne voir personne, j'ai passé les vacances de Noël dans un silence total, et j'en ai été heureuse. Je savais que j'étais en train d'anéantir ce qui restait de notre relation et cette destruction n'allait pas sans une angoisse atroce. Je me réveillais la nuit, consciente d'être entrée dans une folie, consciente surtout de l'irréversibilité de ce silence. »

2. On peut mettre en regard le texte d'Hélène Gestern et *Passion simple* d'Annie Ernaux, où la narratrice, confrontée à une situation

Rompre ou être quitté ne sont jamais des expériences qui pourraient se circonscrire à un pan restreint de notre existence, mais supposent des arrachements affectifs, des déchirements intimes, des reconfigurations du monde parfois radicales. On observe ainsi parfois des ruptures en cascade. C'est un changement de l'existence dans tous ses aspects qu'expérimente le narrateur d'*Attente en automne*, la rupture amoureuse est l'origine d'une crise et d'un ébranlement profonds qui exigent un autre espace (la campagne) et une forme de vie différente : « J'avais quitté Paris pour tenter d'oublier Nadine et ne plus être confronté chaque jour à ce qui dans cette ville me l'aurait rappelée. Mais je tenais à ce que ce changement de lieu entraîne d'autres ruptures dans mon existence[1]. »

La déflagration de la rupture se propage dans de nombreux domaines. Rompre avec une personne est alors le point de départ d'un recommencement plus général. C'est

---

comparable – avoir une relation avec un homme marié et passer son temps à l'attendre –, refuse de rompre malgré la tentation constante de le faire : « Sans cesse le désir de rompre, pour ne plus être à la merci d'un appel, ne plus souffrir, et aussitôt la représentation de ce que cela supposait à la minute même de la rupture : une suite de jours sans rien attendre. Je préférais continuer à n'importe quel prix – qu'il ait une autre femme, plusieurs (c'est-à-dire une souffrance encore plus grande que celle pour laquelle je voulais le quitter). Mais à côté du néant entrevu, ma situation présente me paraissait heureuse, ma jalousie une sorte de privilège fragile dont j'aurais été folle de désirer la fin ... » (Annie Ernaux, *Passion simple*, Gallimard, coll. « Folio », 1991, p. 45-46).
1. Charles Juliet, *Attente en automne*, P.O.L, 1999, p. 30-31.

aussi une manière de rompre avec soi et de se découvrir autre, en changeant de lieu, ou dans l'absence de celle ou celui qui nous avait en partie définis par son amour, et nous a en partie démolis par son désamour. Il s'agit de voir qui l'on est, ailleurs et seul. Comme si, dans cette défection de l'amour, on apprenait aussi quelque chose sur soi.

3

Devenir soi

> « Il faut parfois toute une existence pour parcourir le chemin qui mène de la peur et l'angoisse au consentement à soi-même. À l'adhésion à la vie[1]. »
>
> Charles Juliet

Nous avons parfois le sentiment de ne pas être celui que nous sommes, de jouer un rôle, d'être en marge de notre propre vie, sans y adhérer, comme si un souffle d'air passait toujours entre le monde et nous, un voile de brouillard qui le rend flou, sans saveur, sans goût. Ce monde-là n'est pas fait pour nous, nous ne pouvons pas nous en contenter. On ne saurait pas dire pourquoi, on le pressent simplement, on éprouve un malaise et une honte à l'idée de nous fondre dans cette vie. On est agité, instable, inquiet. On ressent un manque, une insatisfaction, une tension intérieure s'intensifie d'une manière si pressante qu'il devient nécessaire de rompre avec celui que l'on était. On veut devenir quelqu'un d'autre sans encore savoir qui, mais en étant persuadé

---

1. Charles Juliet, *Dans la lumière des saisons*, P.O.L, 1991, p. 44.

que notre véritable identité ne pourra pas éclore là, dans ces lieux, avec ces gens, dans ce réel-là qui nous étouffe. Cette affirmation est nécessairement violente. Comment dire à ceux qui partagent cette vie avec nous et à qui nous tenons malgré tout à quel point nous désirons en changer ? Accéder à une nouvelle identité est aussi une rupture intime douloureuse, une véritable crise. Il ne suffit pas d'ôter l'uniforme pour donner à sa vie une nouvelle ampleur.

Dans son œuvre autobiographique intitulée *Lambeaux*, le romancier Charles Juliet retrace ce parcours intérieur, dans sa radicalité et sa violence. Enfant confié à des parents adoptifs à la mort de sa mère, il entre à 12 ans à l'école militaire d'Aix-en-Provence puis est admis à 20 ans à l'école de santé militaire de Lyon. La voie semble toute tracée : rester dans les rails et devenir médecin militaire. Pourtant, une profonde inquiétude travaille le jeune homme et le pousse à abandonner ses études de médecine trois ans plus tard. Rompre avec ce parcours en ligne droite, sortir du rang et se libérer d'une partie de lui encore prisonnière de ces cadres contraignants ; la rupture avec celui qu'il était est une transformation qui passe par la mise à mort de ce qui survit en lui. Il lui faut se débarrasser des formes inscrites en lui, rompre avec celui qu'il a été jusque-là. Se défaire de ses lambeaux d'une ancienne vie, devenue histoire morte.

Lambeaux dit bien le déchirement, l'étoffe déchirée ou la peau arrachée. Dans ce titre, Juliet condense la violence d'une rupture avec les autres et avec soi, scission intérieure, suivie d'une longue crise personnelle. Car cette rupture est aussi déroute, quand bien même elle obéit à une nécessité impérieuse. Il ne reste plus de l'ancienne vie que des lambeaux, fragments détachés qui ont perdu tout sens et toute valeur. Que reste-t-il encore de lui ? Difficile de voir le motif d'une affiche en lambeaux. La rupture est aussi vécue comme une trahison et un acte de lâcheté. Le choix d'une autre vie semble impossible à assumer. On quitte alors son ancienne vie comme un voleur.

> Tu quittes l'École comme un voleur, sans prévenir personne, sans dire adieu à tes amis qui pourtant te sont chers. Pendant longtemps tu en auras des remords. Mais tu n'aurais su leur expliquer pourquoi tu partais. [...]
> Libéré après onze ans passés sous l'uniforme. Une véritable ivresse à te dire que ta vie va commencer. Tu en éprouves une joie qui pendant plusieurs semaines te transforme. Tu ne pouvais certes te douter que s'amorçait pour toi une crise qui allait durer quelque vingt ans[1].

Comme un voleur et dans la honte à vouloir devenir quelqu'un d'autre, de différent. Dans la honte d'une ambition dont les autres ne pourraient que se moquer. Comme un voleur, parce qu'on ressent intimement qu'on n'est pas des leurs et qu'il faudrait leur avouer. Mais comment le faire sans les blesser ? Comment dire la vieille trahison dans laquelle nous vivotons depuis des années ? Comment confesser les faux-semblants qui durent ?

---

1. *Id.*, *Lambeaux*, Gallimard, coll. « Folio », 2005, p. 127.

Plus tard, tu découvres cette autre évidence : puisque tu ne t'aimes pas, il t'appartient de te transformer, de te recréer. Une certaine exigence t'habite. Elle te soutiendra, te guidera, te fournira la petite lumière qui te permettra de te frayer un sentier dans ta nuit.

Mais pour pouvoir édifier du neuf, il te faut au préalable détruire le vieux, faire place nette. En premier lieu, mettre à mort cet enfant de troupe qui survit en toi. Qui survit en toi avec ses craintes, ses blessures, le souvenir des humiliations subies, ses révoltes, son ressentiment... Puis aller jusqu'à l'extrême de la peur. Jusqu'à l'extrême de l'angoisse. Jusqu'à l'extrême de la culpabilité. Jusqu'à l'extrême de la haine de soi. Jusqu'à l'extrême de la détresse... Et chaque fois, parvenu en un point ultime, garder les yeux ouverts, et du sein du magma, observer, enregistrer, acquérir progressivement une juste connaissance de tout ce qui te constitue[1].

Le narrateur évoque cette nécessité intérieure, d'abord subie et pourtant suivie avant même d'avoir le sentiment d'un mouvement vers un ailleurs, vers une altérité. Ce cheminement vers un soi authentique a déjà commencé, en douce, de manière souterraine. La rupture est consommée, la faille s'est élargie. Ce mouvement interne le travaille et l'oriente déjà dans une tension irrésistible, il est l'élan de la rupture, la flèche intérieure qui guide et déchire.

Avant qu'on ne se l'avoue, qu'on ne le reconnaisse, quelque chose en nous sait, d'un savoir quasi organique,

---

1. *Ibid.*, p. 139-140.

que cette vie nous étouffe, nous entrave et nous pousse vers les lieux où l'on respire, libéré, déployé. Cette conversion de soi est démolition dans les règles, mise à mort intérieure, détestation de cet être étriqué, à l'étroit dans son uniforme. Il faut tuer l'enfant de troupe, l'animal grégaire que les autres ont fait de nous. Apprendre à être seul, à se définir par soi-même. Il faut se défaire de l'enfant blessé en soi, se guérir des brûlures du passé. Il faut passer par la nuit : se dépouiller de tout attribut extérieur et supporter l'angoisse d'une identité vide. La nuit, moment de rupture, est le temps de la lucidité, mise en suspens des contraintes, des normes et des regards qui jugent. Elle offre cet espace où la représentation est acérée, les sens exacerbés. La nuit, le mensonge à soi-même n'est pas possible[1]. Violence d'une vérité, d'une évidence que la nuit libère, déchirant le voile des habitudes. Il s'agit de savoir enfin qui l'on est : « Te connaître. Susciter en toi une mutation. Et par cela même, repousser les limites, trancher tes entraves, te désapproprier de toi-même tout en te construisant un visage. Créer ainsi les conditions d'une vie plus vaste, plus haute, plus libre[2]. »

Qu'est-ce que « se construire un visage » ? On sait que s'impriment sur notre face les expressions, les mimiques de nos proches et jusqu'aux rides d'un père ou d'une mère, comme si on héritait même de leurs inquiétudes.

---

1. « À ton insu, tu t'es trouvé embarqué et il t'a fallu consentir. Une nuit, lors de ces insomnies où il t'est accordé des instants d'hyperlucidité, le voile s'est déchiré … » (*Ibid.*)

2. *Ibid.*, p. 142.

Nous empruntons, malgré nous et parfois dans la haine même de ces stigmates familiaux, des gestes typiques, une voix basse ou trop aiguë, une respiration inquiète, une toux rauque, un dos courbé, des sourcils froncés. Je ne vois plus sur mon visage que les traits d'un parent, l'histoire d'un autre, les traces laissées par les événements, l'empreinte de la maladie, des nuits sans sommeil, de l'alcool ou des médicaments. Ce visage n'est pas vraiment le mien.

C'est parfois notre visage qui nous met en garde, il est notre avertissement, il nous dit qu'il est temps de rompre avant d'avoir le même visage que d'autres, et de renoncer à notre singularité : « Juste au bord, juste. Je vais bientôt ressembler à ces têtes marquées, pathétiques, qui me font horreur au salon de coiffure, quand je les vois renversées, avec leurs yeux clos, dans le bac à shampoing. Dans combien d'années. Au bord des rides qu'on ne peut plus cacher, des affaissements. Déjà moi, ce visage[1]. »

Alors, se créer un visage, c'est littéralement se reprendre, se défaire d'un masque plaqué sur nous par l'habitude, la familiarité, la proximité subie. Se faire un visage, c'est en effacer tout ce qui n'est pas nous-mêmes, grimage social ou familial et le redessiner à notre figure. On ôte le masque et on accepte ce visage blanc, sans expression, visage lavé par les pleurs, la fatigue. Et sur ce visage délavé, épuisé, outre vide, on dessine de nouveaux traits.

---

1. Annie Ernaux, *La Femme gelée*, dans *Écrire la vie*, Gallimard, coll. « Quarto », 2011, p. 432.

Il est toujours frappant de voir à quel point parfois le visage exprime à lui seul le fait d'avoir traversé puis surmonté une épreuve. À quel point le visage change après une réussite scolaire, professionnelle ou rayonne sous l'effet de la joie amoureuse.

Dans l'œuvre de Charles Juliet, la rupture est nécessaire, elle est radicale et se pose comme condition de l'advenue d'un moi véritable. Il est vital de se débarrasser d'un faux moi, entièrement façonné de l'extérieur et imposé avec beaucoup de rigidité à l'enfant. Le pédopsychiatre et psychanalyste D. W. Winnicott a thématisé cette notion de « faux soi ». Dans certains comportements agressifs ou perturbateurs d'enfants ou d'adolescents se manifeste leur besoin de se sentir exister. Ils éprouvent le sentiment de « perdre leur identité » et ne se sentent « réels » que dans l'opposition ou la provocation, dans leur résistance à un moi social policé. La désobéissance est alors une manière d'affirmer son désaccord mais surtout de se rassurer sur sa propre existence. Les « crises » disent quelque chose de la trop forte contrainte sociale ou familiale qui pèse sur l'enfant et qu'il ressent comme profondément menaçante. En se conformant trop parfaitement aux injonctions, pour satisfaire ceux qui l'entourent, ces enfants s'enfoncent dans un sentiment d'irréalité, ont l'impression d'être « faux ». Winnicott donne l'exemple d'un jeune garçon, fils d'un collègue, qui ne supporte pas de s'être transformé en bon élève après avoir longtemps été « un enfant difficile et un mauvais élève ».

Cette métamorphose est paradoxalement insupportable à l'enfant qui ne se reconnaît plus dans cette nouvelle identité. Il s'est si bien conformé aux attentes extérieures qu'il a l'impression qu'une mort imminente le menace, comme si ce nouveau moi risquait d'effacer l'ancien. Il ne parvient plus à s'endormir et craint qu'on le poignarde s'il ferme les yeux. Correspondre trop parfaitement à un idéal équivaut finalement à se nier soi-même, à s'effacer. Ce devenir-autre est déroutant, l'enfant se sent perdu et tente de sauver son « moi » en résistant à ce « faux soi », cette identité trop lisse, qu'il assimile à celle d'une fille[1]. Comme le dit Winnicott, l'angoisse très profonde du garçon est une angoisse de mort, il craint de perdre son identité, de ne plus être réel[2].

Cette souffrance paradoxale du bon élève explique que certains adultes choisissent aussi de dériver de trajectoires professionnelles brillantes pour affirmer quelque chose de plus essentiel. Réussir se fait parfois au prix d'une trahison intime, qui finit par donner l'impression de jouer une comédie insupportable. Je peux jouir de tous les attributs d'une réussite professionnelle

---

1. D. W. Winnicott, *Conversations ordinaires*, « Le concept de faux soi », Gallimard, coll. « Folio Essais », 1988, p. 96 : « C'est le fait que je travaille bien à l'école qui ne va pas. C'est terrible. C'est comme si j'étais une fille. »

2. « Ce garçon de dix ans était capable de m'expliquer que s'il travaille bien, lui et son père ont une bonne entente, mais qu'au bout d'un certain temps il commence à perdre son identité. [...] il s'arrange alors pour faire en sorte que les professeurs se fâchent contre lui. De cette façon, il devient réel. » (D. W. Winnicott, *op. cit.*, p. 97)

et sociale et avoir le sentiment d'être passé à côté de ma vie[1].

On peut avoir le sentiment d'avoir obéi aux désirs des autres (souvent celui des parents) en devenant cette figure extérieure du succès et avoir délégué une partie de soi à un frère, un ami, un collègue qui l'a réalisée à notre place, partie de soi dont le manque se fait douloureusement sentir. Se réaffirmer dans un mode d'être plus « conforme à son vrai moi » entraîne alors une profonde modification de l'existence.

La rupture intime prend sans doute plusieurs formes et toutes les ruptures n'ont pas nécessairement la forme aussi radicale, aussi tranchée que celle que présente Charles Juliet. Mais prendre le risque de se trouver est aussi prendre le risque de se perdre. Ce cheminement vers soi est souvent, comme Juliet le transcrit bien, une crise éprouvante. Découvrir celui que l'on est ou que l'on désire être ne relève pas nécessairement de l'évidence, mais est parfois le fruit d'une longue interrogation sur soi. C'est alors moins un sentiment d'identité qu'un sentiment d'imposture qui nous pousse à devenir autre, sans forcément savoir réellement où l'on va. C'est d'abord négativement que s'impose la nécessité de la rupture, c'est dans la frustration ou le

---

1. Anne Dufourmantelle, *Se trouver*, JC Lattès, 2014, p. 34 : « On peut éprouver de grandes satisfactions dans son métier et néanmoins éprouver qu'une grande partie de soi-même a été laissée en friche. [...] il est très difficile de s'avouer [...] qu'un échec est vécu de l'intérieur malgré les atours de la réussite. »

manque que l'on trouve la force de s'arracher à une existence faite d'artifices. C'est aussi la honte de soi qui pousse à devenir autre. La rupture, quand bien même elle répond à l'aspiration positive de s'affirmer, se révéler, dans une logique d'ascension et une perspective d'authenticité (devenir soi), est aussi teintée de culpabilité, accompagnée d'une impression de trahison. Pour « passer à l'heure neuve », pour « naître pour la deuxième fois », comme le dit justement l'écrivain Pierre Bergougnioux dans *Exister par deux fois*, ouvrage au titre révélateur, il faut « mourir au monde ancien ». Il faut prendre un nouveau pli et faire disparaître l'ancien monde, « pareille opération est coûteuse[1] ». La rupture n'est pas si simple. Les affects des transclasses montrent bien la persistance de l'attachement au milieu d'origine, quelle que soit l'ascension sociale de l'individu. Le détachement n'est jamais total. Il n'y aurait pas de honte si on ne se sentait plus du tout relié à ses proches, mais on continue à prendre sur soi, ce qu'ils sont et ce qu'ils représentent, comme si on en était comptable. J'ai intériorisé l'image dégradée des miens

---

1. « Nos études secondaires achevées, nous sommes partis, en masse, pour la première fois. Nous avions découvert le monde extérieur, la grande ville, l'enseignement supérieur, les contenus de pensée dont ils sont le foyer. Il a fallu, en quelque sorte, mourir au monde ancien dont nous avions le pli, donc à nous-mêmes, naître pour la deuxième fois, au lieu autre, à l'heure neuve auxquels nous étions promis, tenter de devenir. Pareille opération est coûteuse, il est malaisé de se changer. » (Pierre Bergougnioux, *Exister par deux fois*, Paris, Fayard, 2013, p. 15.)

et elle contamine la mienne[1]. La philosophe Chantal Jaquet reprend à Spinoza l'expression de *fluctuation animi*. L'âme oscille entre différents pôles affectifs. Cette ambivalence des sentiments, cette fluctuation intérieure quant à son positionnement – la trace de l'ancien ancrage familial, social ou amoureux et la revendication simultanée d'une nouvelle appartenance – sont sans doute communes à toutes les formes de rupture. L'affirmation d'une mise à mort de l'ancien monde, la prétention à rompre les liens, à faire le deuil de l'ancien moi négligent la puissance des fantômes, la mémoire du corps, la force des habitudes affectives, des attaches infantiles. Il ne suffit pas de partir d'un lieu pour qu'il cesse de nous habiter. Il ne suffit pas de quitter un homme pour oublier sa peau.

La rupture est en réalité arrachement sans cesse recommencé, allers-retours intérieurs, inquiétude. Elle est un long travail intime de déprise, de distanciation et d'apaisement affectif. Il faut apprivoiser la violence des sentiments qu'elle suscite en soi. Il faut les tolérer comme l'effet inévitable du bouleversement que produit la rupture et les dompter au fur et à mesure. Que je rompe ou que je sois rompu, la rupture est cataclysme intérieur.

---

1. Chantal Jaquet, *Les Transclasses ou la Non-reproduction*, PUF, 2014, p. 169.

4

Le plaisir de la dispersion

Cependant, ces interprétations supposent qu'il existe un vrai moi, une identité profonde que la pression sociale ou familiale peut enserrer dans une identité qui corsète l'individu jusqu'à l'étouffer. Qu'il y a un vrai et un faux moi. Un vrai visage et un masque. Qu'il y a une forme d'évidence ou de nécessité, qu'on sait intuitivement qui l'on est vraiment. Mais est-ce toujours le cas ? Ne sommes-nous pas faits de la succession de petites ruptures, la juxtaposition d'identités sans lien qui se combinent au gré des circonstances ? Notre identité est-elle autre chose que cet arrangement de fragments d'être que les aléas disposent sans nécessité ni loi ? Pire, n'y a-t-il pas un plaisir, voire un besoin à être profondément multiple, à ne pas être enfermé dans une identité ?

Ces ruptures intimes qui font émerger un sujet neuf ne sont pas seulement douloureuses, elles sont à la fois

---

1. Henri Michaux, « Difficultés » [1930], dans *Plume* précédé de *Lointain intérieur*, Gallimard, 1963, p. 663.

profondément inquiétantes et excitantes. Elles interrogent la représentation fondatrice du sujet, dans sa constance et sa continuité, dans sa durée. Elles posent la question de l'unité de notre être. Peut-être, comme l'affirme le poète Henri Michaux, n'est-on pas fait pour un seul moi.

> « Moi n'est jamais que provisoire (changeant face à un tel, moi *ad hominem* changeant dans une autre langue, dans un autre art) et gros d'un nouveau personnage qu'un accident, une émotion, un coup sur le crâne libérera à l'exclusion du précédent et à l'étonnement général, souvent instantanément formé. Il était donc déjà tout constitué. On n'est peut-être pas fait pour un seul moi. On a tort de s'y tenir. Préjugé de l'unité[1]. »

Suis-je autre chose que ce que les accidents me font devenir ? Pourquoi croire à un sujet constant, n'y a-t-il pas plutôt une myriade intérieure de personnages qui surgissent au gré des aléas ? Celui que je suis n'est-il pas toujours une surprise ? Selon Michaux, nous serions aveuglés par le préjugé de l'unité. Nous partons du principe qu'il existe une identité stable et singulière pour chaque individu, nous imaginons être une personne, là où nous ne sommes peut-être que des personnages. Pourquoi cette préférence spontanée pour l'unité du sujet ?

Ce « préjugé de l'unité » vient peut-être de la grammaire, comme le suggère Nietzsche. Nous croyons qu'il existe un moi parce que nos langues européennes le conjuguent. Il existerait une première personne, un « moi »

---

1. *Ibid.*

qui constituerait une singularité absolue. Cette idée d'une unité du sujet est ancrée en nous depuis longtemps. Elle s'énonce dès les premières injonctions de l'enfance : « Cesse de t'éparpiller, concentre-toi. » C'est ainsi sans doute que se construit progressivement cet idéal d'un sujet unifié, capable de se recentrer sur une chose et ce faisant de s'unir, se rassembler, être un.

Pourtant, nous sommes sans cesse dispersés et nous supportons notre existence précisément parce que nous sommes capables d'être mentalement ailleurs, parce que nous pouvons jouer avec le réel en le doublant d'un voile imaginaire, parce que nous superposons à la réalité constamment des projections, des images fantasmées, pour la rendre supportable.

Nous avons besoin d'être plusieurs individus différents, pour nous délasser de l'un en retrouvant l'autre, comme dans les scènes de vieilles séries américaines où le père cesse d'être un cadre moyen lorsqu'il passe le seuil de la maison. Il défait sa cravate d'un geste hautement symbolique, comme s'il s'agissait d'une laisse ou d'une corde et se sert un whisky bien tassé.

Nous avons tous besoin, *business man* ou pas, de tomber la veste, de nous affaler dans le canapé, et par cette seule posture, de devenir autre, d'adopter une autre forme corporelle qui nous délasse et libère le sujet oisif en nous. Ce n'est pas seulement que nous jouons des rôles différents, c'est que notre être n'est pas un, qu'il se manifeste sous différentes facettes. Bergson chérissait l'image du kaléidoscope, on pourrait l'appliquer au sujet : l'occasion, la situation me fait devenir autre. Je peux me révéler très différent de celui que ce que je croyais être. La palette de mes identités est étendue. Je peux avoir une impulsion courageuse dans une situation de danger, développer un dévouement maternel inattendu, ou trahir les miens, me comporter comme un lâche.

L'idée d'une subjectivité multiple, d'un manque fondamental d'unité du sujet n'est pas nouvelle. Elle a longtemps inquiété la philosophie, comme le rappelait le philosophe Clément Rosset dans l'une de ses *Conférences mexicaines*. Rosset prenait très au sérieux cette possibilité d'une vacuité fondamentale du sujet, au grand étonnement de ses contemporains. À leurs yeux, il ne pouvait s'agir que d'une plaisanterie :

> L'idée que chacun de nous possède une identité personnelle, impliquant une unité psychologique et caractérielle qui se maintient au cours de notre vie et constitue une sorte de fait permanent, si inaltérable qu'aucun aléa de notre existence n'est capable de la modifier en profondeur, est une croyance dont aucune réflexion critique ne paraît pouvoir ébranler l'évidence. [...]
>
> C'est au point que lors de la publication d'un livre, *Loin de moi*, où je contestais l'existence d'une identité personnelle différant de l'identité sociale, j'eus la surprise de lire des comptes-rendus critiques qui louaient mon entreprise qu'ils considéraient comme un paradoxe amusant mais qui n'était manifestement pour eux qu'une bonne blague. Car enfin je suis moi et il est lui, cela se voit et tout le monde le sait. Le capitaine Haddock a beau revêtir les habits et les manières d'un nouveau riche au début des

Sept boules de cristal, il n'en reste pas moins le capitaine Haddock[1].

On voit bien dans ces lignes que cette idée d'une identité personnelle s'appuie sur la représentation d'un moi envisagé comme une forteresse intérieure. Ce que je suis, rien ne pourra le défaire, le destituer. Le moi est imprenable, inébranlable, inaltérable : rien ne peut me faire devenir autre. Je peux certes m'amuser à être autre, me déguiser, mais au fond, je sais bien qui je suis. Moi, je suis moi, dit-on alors comme si cette tautologie était l'expression d'une évidence absolue. Mais ce qui est absolu, c'est notre angoisse de n'avoir pas de « moi », d'être malléable, flottant au gré de ces aléas de la vie. Et si pourtant on ne se baignait jamais deux fois dans le même moi ? Et si j'étais bien plus inconstant, plus changeant que je ne peux, que je ne veux, me le représenter ? Cette hypothèse, rappelle Rosset, n'est pas la fantaisie d'un auteur provocateur. C'est le sens profond des interrogations de Pascal, dans ses *Pensées*[2]. Montaigne et Hume ont considéré sérieusement cette question d'une irréalité du moi. « Car le moi est imperceptible », affirme

---

1. Clément Rosset, *Tropiques. Cinq conférences mexicaines*, Éditions de Minuit, 2010, p. 31-32

2. « Cette prétendue évidence est une évidence en trompe-l'œil, comme l'ont établi de manière à mon avis incontestable des philosophes qui étaient loin d'être des esprits blagueurs. Ainsi Pascal et les nombreuses critiques du moi qui figurent dans les *Pensées*. [...] Car si le moi est haïssable, c'est principalement parce que le moi n'existe pas, du moins en tant qu'entité personnelle. » (*Ibid.*)

Hume. Sur quoi fonder alors son existence ? Est-il autre chose que l'expression d'une croyance et surtout d'une inquiétude, celle de n'être rien au fond ? Cette unité, que ma mémoire pourrait garantir, fil directeur d'une continuité intérieure, n'est-elle pas qu'une illusion ? Qui me dit d'ailleurs que mes souvenirs soient réellement les miens ? Ils pourraient tout aussi bien n'être que la collection des souvenirs des autres, reconfigurés un peu au hasard, selon la rotation des événements, suggère Rosset, qui retrouve l'image bergsonienne du kaléidoscope : « Mes souvenirs sont comme un kaléidoscope dont on pourrait à la limite attribuer la paternité à autant de personnes qu'il y a de souvenirs, comme les pièces rapportées dont parle Montaigne[1]. »

Kaléidoscope, patchwork, combien y a-t-il de personnes en moi ? Et pourquoi m'en inquiéter ? Est-il si tragique d'être démultipliable, d'être potentiellement toujours différent ? N'est-ce pas plus excitant que d'être enfermé dans une identité fixe, stable ? On peut d'ailleurs se demander si une telle modalité d'être est seulement possible. Pouvons-nous être autre chose que des sujets fluides, changeants ? Et n'y a-t-il pas enfin un plaisir à être toujours autre ?

Pour le psychanalyste J.-B. Pontalis, les différentes tranches de vie et les rôles qu'elles nous font tenir donnent à notre existence une forme presque incohérente ; elle s'apparente à une succession de scènes oniriques,

---

1. *Ibid.*, p. 34-35.

sans lien, sans logique apparente et crée un sentiment désagréable de dispersion :

> Certaines de mes journées sont si fragmentées, me font tenir des rôles si variés, peut-être incompatibles, tout comme il arrive dans ces rêves qui nous font parcourir des lieux différents, et défiler des visages et des personnages sans lien apparent pour laisser au réveil une impression pénible de dispersion[1].

Pontalis semble se plaindre de ne pas pouvoir s'arrêter dans l'un de ces rôles pour en jouir pleinement. Mais ce ne sont pas seulement des rôles et ce n'est pas seulement pénible. Ce sont des aspects de notre identité et c'est précisément cette variation qui fait l'intérêt et la douleur de nos vies. *A contrario*, une existence qui serait réduite à un seul rôle, une seule partition finirait par devenir pure répétition, imitation chaque jour un peu plus caricaturale de ce que nous avons déjà vécu. Ce devenir automate est une vie morte. Il faut résister à la tentation de l'inertie, à la séduction de la matière, résister à la facilité d'une identité figée, ne pas se laisser s'enfoncer dans un mode d'être où plus rien n'est ni vif ni neuf[2]. Bergson nous met en garde : nous ne devons pas nous « laisser aller à l'automatisme facile des habitudes contractées[3] », nous deviendrions ainsi comiques à notre insu.

---

1. J.-B. Pontalis, *En marge des nuits*, Gallimard, 2010.
2. *Cf.* Henri Bergson, *Le Rire*, PUF, 1991, p. 22.
3. *Ibid.*, p. 14.

On pourrait alors défendre l'idée que cette dispersion est fondamentalement nécessaire. Pour échapper à la tension que suscite l'effort d'être soi, l'homme a peut-être besoin de démultiplier les personnages qu'il anime. Bergson le premier avait souligné la fatigue d'être une personne, la tension que cette continuité intérieure unificatrice imposait à la conscience et avait identifié les moments de distraction que celle-ci s'offrait parfois. Le rire, le rêve, mais aussi certains dysfonctionnements de la mémoire ou de la perception sont les distractions, les relâchements d'une conscience fatiguée par cette concentration éreintante[1].

Dans sa conférence de Madrid sur la personnalité, Bergson s'intéresse aux phénomènes de dissociation ou de dédoublement de la personnalité, « états exceptionnels » où se produisent les « ruptures, les brisures de la personnalité » : « L'expérience semble prouver que souvent ce flux [de la vie intérieure] s'interrompt, et que la continuité de la vie intérieure se brise en morceaux indépendants les uns des autres[2]. » Bergson est sceptique quant à la possibilité qu'une personnalité s'effondre. « Je

---

1. Élie During, « Introduction », dans Henri Bergson, *Le Souvenir du présent et la fausse reconnaissance*, PUF, 2012, p. XXVIII : « Être humain, être une personne [...] requiert un effort d'ajustement constant, c'est pourquoi il est si fatigant d'être une personne. [...] une distraction ou un relâchement fondamental, une fatigue d'être, menace à tout instant d'interrompre l'"effort épuisant" requis pour donner à ses pensées et à ses actes la continuité qui fait reconnaître une personne. »

2. Henri Bergson, *Conférence de Madrid sur la personnalité* (1916), dans *Mélanges*, PUF, 1972, p. 1 224.

ne crois pas, dit-il, qu'une personnalité puisse se briser en mille morceaux comme du verre[1]. » À l'image solide d'une matière qui se brise, Bergson préfère une représentation plus plastique de la conscience, qui se comprime ou se relâche. Celle-ci doit lutter constamment contre la tentation de se laisser aller à la discontinuité, la détente. « Pour [laisser] passer ce flux de la vie intérieure, sans interruption, il faut maintenir comprimé un ressort d'acier. [...] L'homme parvient à garder le ressort comprimé, et le flux de sa vie consciente passe continûment sans se scinder en morceaux. Cela demande un effort, cela représente un effort épuisant. Il est fatigant d'être une personne[2]. »

Au sujet épuisé par cet effort, la nature, dit Bergson, offre une « vacance », telle est la raison de certains phénomènes d'amnésie et de dédoublement de la personnalité qu'il étudie[3]. On met sa personne normale ou habituelle entre parenthèses et on plonge dans une autre pour se délester. On s'offrirait, dans la dissociation, la légèreté d'un devenir autre. Mais pourquoi ce désarrimage ne devrait-il se faire que sur un mode inconscient et pathologique ? Pourquoi ne pas penser cette bascule d'un mode d'être à un autre comme une sorte d'éthique, qui permette précisément de ne jamais toucher à ce point d'épuisement que la concentration et l'unicité engendrent ? Pourquoi ne pas penser un sujet qui soit fait de différentes lignes

---

1. *Ibid.*, p. 1 225.
2. *Ibid.*
3. *Cf. Ibid.*, p. 1 226.

mélodiques, l'une pouvant doubler ou prendre la succession d'une autre ?

Évidemment, ce n'est pas chez Bergson que l'on puiserait les éléments d'une telle éthique, et pourtant, c'est
lui qui nous offre les pistes qui permettent de penser
une multiplicité intérieure. Dans cette même conférence,
Bergson affirme que nous sommes initialement riches
d'une multiplicité intérieure, que l'on perd au fur et à
mesure que l'on avance dans la vie :

> Il serait très intéressant de montrer comment, dans le
> cours de notre existence, se présentent de nombreuses
> personnalités, qui entrent en concurrence et en compéti
> tion, et entre lesquelles notre vie doit choisir. […] Il est
> curieux de voir comment, surtout dans l'enfance, se des
> sine cette multiplicité de personnes morales virtuelles.
> […] Supposons que, de ces futurs, se réalise le plus bril
> lant, le plus complexe de tous ; il aura fallu sacrifier les
> autres et de nombreuses possibilités auront été perdues
> pour toujours. Il en est de même dans le passage de l'en
> fance à la maturité. Au fur et à mesure que nous avançons
> dans la vie, nous jetons par-dessus bord de nombreuses
> personnalités possibles.

Et si c'était l'inverse ? Et si la maturation était au
contraire l'investissement de ces différentes personnalités,
ou tout au moins de différentes manières d'être ? Bergson
fait de l'artiste, poète ou romancier, l'homme capable de
donner vie aux personnalités virtuelles qu'il recèle, en les
transformant en personnages littéraires. Si chacun d'entre
nous renonce à la majorité de ses personnalités possibles

à mesure qu'il avance dans l'existence, l'artiste lui en fait des figures de sa création. Mais après tout, ce que l'artiste parvient à faire, à savoir « pousser hors de lui », « réaliser » « toutes ces existences qui sont virtuellement incluses dans la sienne seule », pourquoi en saurions-nous incapables ?

Pourquoi ne pas vivre cinquante fois au lieu d'une seule[1] ? On penserait alors une vie faite de bifurcations, selon une construction en arbre, et non pas une vie qui se poursuit en jetant les possibles par-dessus bord. Une vie qui, au fur et à mesure qu'elle s'affirme, a la force d'ouvrir d'autres cases, prend le risque d'adopter d'autres formes, de déployer d'autres rythmes, d'autres manières d'être, d'explorer ses possibles. Pourquoi ne pas penser que nous développons ces capacités plutôt que d'imaginer devoir y renoncer ? Ne devient-on soi-même que par la perte et la réduction des possibles ?

Car c'est bien une chance et une ressource que subsistent en moi tous ces possibles lorsque mon existence se brise sur une épreuve, un échec ou une perte irréparable. On peut imaginer que ces différentes personnalités dont parle Bergson ne sont pas en compétition comme il le dit, mais qu'elles cohabitent, que l'une prendra le relais de l'autre, qu'elles se soutiennent et s'imbriquent, se nourrissent mutuellement. Ainsi je ne perds pas l'enfant que j'étais, il est toujours en moi, et

---

1. *Cf. Ibid.*, p. 1 217 : « Don Quichotte, Sancho Pança [...] sont le poète lui-même, ils sont Cervantes lui-même, tel qu'il aurait pu être, leurs vies sont celles qu'il aurait pu vivre s'il avait vécu cinquante fois et non une seule. »

avec lui la richesse de ses possibles : « On a tous les âges
à chaque instant[1]. »

Cette composition intérieure des identités, des âges, des
sensibilités, des vécus nous délivrerait du poids de n'être
que soi, permettrait un éparpillement joyeux et stimulant.
On peut aussi penser le parcours d'une vie comme un
mouvement qui « réinsufflant la vie aux fantômes qui nous
entourent [...] nous revivifi[erait] nous-mêmes[2] ».

Bien sûr, il faut dire l'épuisement possible quand ces
différentes identités endossées sont vécues comme autant
d'injonctions sociales, culturelles, familiales, professionnelles. La fatigue d'être soi naît de la démultiplication des
rôles à tenir sur le mode de la performance[3]. Être une
bonne mère, une collègue efficace et fiable, une femme
organisée, une amante toujours désirable. Dès lors que
chacune de ces manières d'être devient une charge et
paraît imposée, il est difficile d'y voir une dispersion sti-
mulante du sujet, une répartition heureuse des équilibres
de vie.

Il ne s'agit pas non plus de nier la réalité tragique des
pathologies de dissociation. On peut rappeler les mots
de Maupassant, en proie à de terribles crises de folie,

---

1. Pierre Bergougnioux, *Exister par deux fois*, *op. cit.*, p. 157, 185.
Pierre Bergougnioux cite ainsi le psychanalyste Groddeck : « Exté-
rieurement, je suis bien le monsieur d'un certain âge que le temps a
fait de moi mais, dedans une poupée gigogne, la totalité emboîtée
de ceux qu'on a été, jour après jour. »

2. Henri Bergson, *La Pensée et le Mouvant*, « L'Intuition philoso-
phique », PUF, 2011, p. 142.

3. *Cf.* Alain Erhenberg, *La Fatigue d'être soi*, Odile Jacob, 1998.

de moments de dédoublement ou d'hallucinations : « Je voudrais me séparer de moi-même[1]. » Il n'est pas toujours possible de se défaire sereinement de soi, dans le rêve, l'écriture, les voyages ; on ne parvient pas toujours à « se séparer de soi-même sans s'effondrer, sans tomber dans un chaos où tout est confondu[2] ». Les lignes de Henri Michaux, point de départ de notre chapitre, entrent en résonance avec le vécu de dissociation de patients en grande souffrance psychique. Il ne s'agit plus alors de « vacance », comme l'écrivait Bergson, mais d'une véritable désertion du sujet ou de sa fragmentation intérieure. « On peut disparaître de soi à travers l'assèchement, la mise en veilleuse de soi, mais aussi en se fragmentant[3]... » Lorsque le sujet ne tient plus l'effort d'une unification, ne supporte plus la tension qu'une telle synthèse de soi exige, on voit la personnalité se fissurer et parfois se démultiplier dans un chaos intérieur tragique et douloureux[4]. Le malade renonce involontairement, comme le dit David Le Breton, à « son visage et son nom uniques » qui l'insèrent et l'identifient dans nos sociétés.

---

1. Cité par J.-B. Pontalis *in En marge des nuits, op. cit.*, p. 48.
2. *Ibid.*
3. David Le Breton, *Disparaître de soi, op. cit.*, p. 72.
4. *Cf. Ibid.*, p. 73 : « D'ordinaire, l'unité de soi est un effort de l'individu, une résistance à l'encontre de la dissociation qui menace. Dans certains circonstances, notamment traumatiques, cette unité est en partie rompue, et la personnalité se fissure, devient innombrable. Le clivage est un mode de défense. Il va à l'encontre de la conception propre à nos sociétés selon laquelle chaque individu ne constitue qu'une seule personne, doté d'un visage et d'un nom uniques, d'un état civil et d'une histoire qui lui appartiennent en propre. »

La maladie psychique est alors une manière de se fuir soi-même quand l'identité qui est la nôtre semble intenable et quand tout autre type de fuite est impossible. C'est ainsi que l'analyse la philosophe Catherine Malabou, évoquant une « métamorphose par destruction[1] ». Dans cette métamorphose, le sujet disparaît, déserte son identité, dans une dissociation qui ne permet aucune subjectivation[2]. Il n'y a même plus de tragédie puisqu'il n'y a plus de sujet pour la vivre et la souffrir[3].

Cette dispersion du sujet, lorsqu'elle ne conduit pas à ces impasses psychiques destructrices, nous interroge profondément sur la manière dont nous nous révélons à nous-mêmes. Il se pourrait que nous ne devenions « nous » par hasard bien plus que selon une profonde nécessité. La manière dont on surgit à soi ne tient pas forcément de la décision et de la rupture volontaire. Parfois, c'est au gré de la fortune que

---

1. Catherine Malabou, *Ontologie de l'accident*, Léo Scheer, 2009, p. 17-18 : « La métamorphose par destruction n'est pas un équivalent de la fuite, elle est plutôt la forme que prend l'impossibilité de fuir. L'impossibilité de fuir là où la fuite s'imposerait pourtant comme la seule solution. Il faut penser l'impossibilité de fuir dans ces situations où une tension extrême, une douleur, un malaise poussent vers un dehors qui n'existe pas. »

2. *Cf. ibid.*, p. 18 : « Constitution d'une identité qui se fuit, qui fuit dans l'impossibilité de se fuir. Identité désertée, dissociée encore une fois, qui ne se réfléchit pas elle-même, ne vit pas sa propre transformation, ne la subjective pas. »

3. *Cf. Ibid.*, p. 21 : « La modification n'en est que plus radicale, violente ; elle fragmente d'autant plus sûrement. La pire des dissensions du sujet avec lui-même, le plus grave des conflits n'ont même plus figure tragique. »

surgit en nous une subjectivité inattendue. On deviendrait soi-même par surprise, par accident, sans préalable. Parfois le soi apparaît là où l'on ne l'attendait pas[1]. Il ne s'agit pas d'une identité qui traverse l'épreuve et s'y aguerrit mais d'un soi imprévisible, inédit, qui s'improvise dans l'instant : « Non la manifestation d'un caractère trempé, préalable à l'épreuve et révélé par le coup dur mais la réplique improvisée, du tac au tac, à une défaite qui la première avait brouillé les registres : s'inventer une subjectivité à la six-quatre-deux comme on se donne une contenance[2]. »

Dans son ouvrage *Bras cassé*, Henri Michaux explore cette idée d'une nouvelle forme de vie et d'identité déployée par le choc d'un accident, d'une chute, *a priori* sans gravité. Elle est l'occasion pourtant d'une investigation personnelle approfondie et curieuse. Il y aurait alors à explorer chaque fragment de notre identité, chaque côté de notre être, qui aurait plusieurs faces, et qui se donneraient à voir selon les accidents de l'existence. Cette chute banale le fait pivoter sur lui-même et l'entraîne dans une réflexion sur les variations du moi. Découvrant son être gauche, sa maladresse, il s'approprie aussi une façon d'être hésitante, timide qui est aussi la sienne et qu'il ignorait.

---

1. *Cf.* Mathieu Potte-Bonneville, *Recommencer, op. cit.*, p. 13.
2. *Ibid.*, p. 14.

5

L'être accidenté

« J'aurais voulu ne pas avoir souffert
en vain[1]. »

Henri Michaux

Dans *Bras cassé*, Henri Michaux évoque une rupture idiote de l'existence. Il glisse, il tombe. Mais ce qui se brise dans cette chute n'est pas seulement son coude droit. C'est une manière d'être au monde, une familiarité, une facilité de l'existence. « Je tombai. Mon être gauche seul se releva, et tout est devenu parfaitement neutre[2]. »

Ce que Michaux découvre, c'est son être gauche. Un être maladroit, mais aussi un être autre. Étranger et pourtant sien : « *son* être gauche ». Cette chute pourtant n'a rien de spectaculaire, rien d'impressionnant au sens littéral : elle ne s'imprime pas sur lui, ne se donne pas à voir. Elle ne laisse que peu de traces visibles. Michaux s'étonne de cet écart entre ces signes minimes et la violence ressentie de cet accident qui, dans tous les sens du terme, le met à terre : « De vieilles aiguilles de mélèze adhèrent à

---

1. Henri Michaux, *Bras cassé*, Fata Morgana, 1973, p. 16.
2. *Ibid.*

ma veste de laine bleue et à mon pantalon souillé. C'est tout ce que mes vêtements ont retenu, eux, de l'accident, qui si totalement me change, me rend infirme[1]. »

L'in-firme, c'est celui qui a perdu de sa solidité, de sa fermeté, au sens physique, mais aussi psychique. La chute rend le sujet tout entier vulnérable, fragile. Il devient autre, un autre bancal et manquant d'assurance.

Un homme privé de son bras droit n'est plus que « gauche » : maladroit, lent, inefficace. Il est privé de son corps comme allié, de son corps-gouvernail. Il devient incapable, littéralement bon à rien, un « bras cassé » en somme. Le monde lui-même est différent, tout est devenu « parfaitement neutre » : plus aucune facilité, plus d'habitudes corporelles, plus d'évidence des gestes et des déplacements. Même la marche déséquilibrée par l'immobilisation du bras est mal assurée. Tout son corps paraît désormais inutilisable. Cette expérience est *a priori* une expérience de la perte et de l'étrangeté. « Mis à part pieds ou bras cassés ou pieds et bras à la fois, tandis que je suis là par terre, il se passe quelque chose d'étrange. Quelque chose m'est dérobé, m'est continûment dérobé[2]. » Ce qui lui est dérobé, c'est son corps soutenant et complice, c'est l'habitude de son corps : celui-ci n'est plus qu'une boussole affolée. Son propre corps semble se dérober comme un sol qui s'effrite, un chemin qui s'effondre sous ses pas. Mais dans cette dérobade de l'être droit si familier, c'est un second rôle qui apparaît sur le devant de la

---

1. *Ibid.*, p. 14.
2. *Ibid.*

scène. Michaux développe pour cet être gauche une vraie
curiosité, l'investit rapidement et se met immédiatement à
écrire avec ce bras gauche et sur ce que cette expérience
de la chute lui révèle : un autre être, en lui-même, ou tout
au moins une autre façon d'être, un moi qu'il nomme moi-
frère. Une présence qu'il a ignorée pendant des années,
qu'il a toujours laissée dans l'ombre. Ainsi les accidents
révèlent les fantômes, les virtualités de notre moi. Ceux
qui restent dans les coulisses, attendant la chute du jeune
premier pour le remplacer. « Celui qui est le gauche de
moi, qui jamais de ma vie n'a été le premier, qui toujours
vécut en repli, et à présent seul me reste, ce placide, je ne
cessais de tourner autour, ne finissant pas de l'observer
avec surprise, moi, frère de Moi[1]. »

   L'accident est alors une chance d'investir cette part
de nous et d'« investiguer[2] », comme le dit Michaux. Que
m'apprend mon être gauche sur moi-même ? On pourrait
l'interpréter comme une figure de la vulnérabilité, un
être différent, amoindri, moins agile, mais c'est aussi,
par l'attention qu'il demande, un être qui agit autrement,
qui observe le monde et s'y rapporte selon des modalités
différentes, qui porte un autre regard, dans un décille-
ment peut-être de tout ce qui semblait trop connu ou

---

1. *Ibid.*, p. 17.
2. *Ibid.* : « Je me débrouillais avec le gauche, m'étant mis, tant
bien que mal, dès le lendemain de la chute, malgré sa maladresse,
sa presque inexistence, à écrire vermiculairement de la main
gauche pour ne pas perdre trace entière de cet aspect gelé et belle-
au-bois-dormant de la nature, dont il fallait que je prenne note,
afin de ne jamais l'oublier, ni l'omettre dans mes futures investi-
gations. »

évident. Michaux évoque la « presque inexistence » de cet être gauche. Quelle est cette existence minimale et que nous apprend-elle ? Il s'agit bien ici de savoir qui je suis « tant bien que mal », sous tous les versants de mon être.

Cet accident finalement devient une sorte d'expérimentation de soi : « Cet état que la fortune m'envoya avec quelques complications, je le considérai. Je pris un bain dedans. Je ne cherchai pas tout de suite à rejoindre le rivage[1]. » Je m'observe curieux, dans cette situation qui m'éprouve et me découvre. Qui suis-je lorsque l'accident me déplace[2] ?

Qu'est-ce alors qu'un être souffrant ? Un être déplacé, exilé, amputé. La souffrance altère mon habitude d'être, me fait perdre mon naturel, rompt cette complicité silencieuse entre le corps et l'esprit. Le corps se dérobe, l'esprit se découvre autre, dépossédé par cette disparition d'une partie de soi, dérobée par la souffrance, que génère la maladie ou la blessure. L'esprit lui-même semble s'absenter. Pourtant, mon être gauche, suggère Michaux, a aussi quelque chose à m'apprendre sur moi-même. Être déplacé, c'est se découvrir autrement et cette fragilité n'est pas seulement une défaillance, elle nous indique d'autres façons d'être, un autre style d'existence.

L'expérience de la souffrance interroge cette place que nous avons occupée sans questions. Est-ce vraiment là

---

1. *Ibid.*, p. 7.
2. *Ibid.*, p. 11 : « Le ciel et la terre ont gardé leur place, mais moi je ne peux regagner ma place. »

que nous voulons être ? Est-ce là seulement là que nous pouvons être ? L'enjeu est bien de se situer, après une expérience affolante qui nous a désorienté. Si mon corps a été mis « hors circuit », comme le dit Michaux, dans quel cercle l'inscrire désormais ? Quelle pulsation le porte et quel monde cette pulsation anime, ravive ou fait naître ? Si l'habitude façonne notre mode d'être, je peux donner à mon corps de nouvelles habitudes, m'en servir autrement, explorer mon être gauche et en découvrir l'adresse. « La création de soi par soi », belle expression de Bergson, peut prendre un sens particulier dans un contexte thérapeutique. Mon corps a été modifié par l'expérience de la souffrance, j'en connais à la fois la vulnérabilité et la puissance, à moi de donner un sens au nouveau rapport que j'instaure avec lui. Ainsi j'aurais peut-être l'impression, comme Michaux, « de n'être pas tout à fait passé à côté, de ne pas avoir souffert en vain[1] ». Faire de l'accident une expérience de pensée, une expérience qui donne à penser, c'est convertir cette souffrance en une expérience qui délivre du sens. Chaque être souffrant espère donner une signification, une raison à cette expérience absurde de la souffrance physique. Ce qui peut nous réconforter, c'est bien l'idée que nous y expérimentons un autre versant de notre identité.

---

1. *Ibid.*, p. 10.

6

Naissances et séparations

« Comment se quitter quand on est inséparables comme une mère et sa fille[1] ? »

Lydia Flem

Il ne nous vient pas immédiatement à l'esprit d'associer la naissance, cet « heureux événement », aux connotations négatives que véhicule l'idée de rupture. La naissance constitue pourtant bien la première des ruptures, par les profondes transformations qu'elle présuppose et engendre. Transformation du corps de la femme bien sûr, qui subit l'une des déformations les plus importantes que les espèces animales puissent tolérer, mais aussi de son psychisme, de son rapport à soi. Avec l'arrivée d'un enfant, le parent renonce à la possibilité, au luxe, de pouvoir se tenir à part, c'est-à-dire, littéralement, de s'appartenir. En donnant naissance à un enfant, il en devient responsable. Le parent renonce, au moins pour un temps, à se tenir seul et séparé. Il entoure, il accompagne et accepte de

---

1. Lydia Flem, *Comment je me suis séparée de ma fille et de mon quasi-fils*, Seuil, 2009, p. 71.

passer au second plan derrière l'enfant qui bouscule les priorités, l'ordre du temps et les libertés[1].

Si elle est le plus souvent envisagée comme un commencement, la naissance est aussi, pour la mère, pour l'enfant et pour le couple, une rupture profonde et dérangeante. Elle peut modifier et redéfinir d'autres relations familiales et affectives. Ainsi devenir parents ou grands-parents, ne plus être enfant unique, voir sa sœur ou son frère devenir mère ou père sont autant de répliques de la naissance qui bouleversent et parfois obligent à inventer de nouvelles modalités de relation. Il importe donc de considérer sérieusement sa puissance perturbatrice.

La naissance déplace, elle redéfinit les contours et les limites des identités, des relations. C'est d'abord à la future mère de faire de la place, de créer en elle, dans son corps, un espace qui accueille, nourrisse et protège son enfant[2]. Symboliquement, elle se met en retrait pour faire passer le bien-être de son enfant avant son propre confort et ses désirs. Elle devient donc, n'en déplaise à Kant, non plus seulement une fin mais aussi un moyen, ou tout au moins médiatrice d'une autre vie que la sienne. Elle est celle par laquelle une naissance peut

---

1. *Cf. ibid.*, p. 65 : « Les parents, rêvant de leur futur poupon, savent-ils que plus jamais ils ne s'appartiendront ? Que le rythme de leur vie sera chamboulé ? »

2. *Cf. ibid.* : « Un enfant transforme le corps de sa mère, elle s'y prépare. Une femme se réjouit, ou s'inquiète, de voir la courbe de son ventre, de ses seins, se gonfler de la vie qu'elle porte. Elle sait que pour donner naissance à un nouvel être elle doit l'accueillir dans son propre corps, mais elle ne mesure toutes les transformations qui l'attendent. »

advenir ou non. Dès la grossesse, la femme est chargée de responsabilités vitales. C'est à elle de porter l'enfant et de le mettre au monde dans les meilleures conditions possible. Sa douleur, son inconfort, ses inquiétudes, sa souffrance, sa tristesse passent au second plan. L'accouchement concrétise ce mouvement de relégation qui va jusqu'au risque vital pour la mère. Dans cette expérience de démesure, le corps se distend d'une manière phénoménale, perdant ses contours, s'épanchant hors de soi, dans une espèce de débordement. Le corps de la parturiente n'est là que comme condition d'un autre événement qui renvoie à l'arrière-plan la dimension traumatisante de ce moment de puissante déformation et d'altérité radicale[1]. Dans cette proximité avec une mort symbolique, un sacrifice de soi, la femme subit une expulsion, une extirpation, une extraction du corps de l'enfant qui devient étranger. La naissance est la rencontre de deux étrangers qui ont vécu pendant des mois dans la plus grande proximité possible, proximité corporelle mais aussi sans doute psychique. On comprend alors que cette naissance puisse être ressentie et pensée comme un arrachement d'une grande violence. C'est ce double mouvement d'arrachement/attachement, de séparation et de paration, c'est-à-dire de protection de l'enfant, qui se joue autour de la naissance et de ses prolongements soutenants. À la puissance de la séparation répond en effet la force du corps-à-corps entre la mère et l'enfant.

---

1. *Cf.* Chantal Birman, *Au monde. Ce qu'accoucher veut dire*, Seuil, coll. « Points », 2009.

Il y a dans cette proximité extrême une empreinte et une emprise mutuelle parfois sans réserve L'empreinte laissée par ce lien primitif et la puissance de cette affection archaïque sont comparées par Christian Bobin à une brûlure : « Cette femme est tout entière occupée par son enfant, entamée d'un amour abondant, sans réserve. Si totalement brûlée d'amour qu'elle en est lumineuse[1]. »

On peut en tous cas bien parler d'une « occupation » de la mère par l'enfant qui, loin de cesser avec la naissance, paraît ne devoir jamais vraiment disparaître. Il faudra pourtant, pour aider son enfant à naître une seconde fois, c'est-à-dire à naître au monde et à lui-même, que celle-ci supporte la séparation et qu'elle la prépare. Qu'elle se confronte au vide, au manque et à l'angoisse de la perte[2]. Lydia Flem rappelle qu'une même étymologie relie les termes de « parent » et de « séparation » : « Lier, délier. Créer des liens : donner la vie, donner la liberté. Je n'avais jamais rapproché les mots "parent" et "séparation", alors qu'ils possèdent tous les deux la même étymologie. Le mot "séparation" comprend le mot "parent"[3]. »

---

1. Christian Bobin, *La part manquante*, Gallimard, coll. « Folio », 1994, p. 17.
2. *Cf.* Lydia Flem, *Comment je me suis séparée de ma fille et de mon quasi-fils*, *op. cit.*, p. 70-71 : « S'éloigner de quelqu'un qui nous est cher pour un temps plus ou moins long résonne comme une perte, un manque, la peur de ne pas se retrouver un jour. »
3. *Ibid.*, « Sé/paration », p. 69. Voir aussi plus loin : « "Parent" vient du latin *parere*, qui signifie enfanter, mettre au monde, faire naître. Il prend son origine dans une racine indo-européenne exprimant le don. »

Être parent, c'est à la fois parer l'enfant à l'entrée dans le monde et rendre la séparation possible, quelle que soit la douleur que cela engendre[1]. C'est faire face à une double rupture : celle de la naissance et celle du départ à venir, quand l'enfant quittera le nid familial.

Mais revenons à la naissance. En pensant la naissance comme une séparation violente, un arrachement, la psychanalyste Anne Dufourmantelle esquisse un paradigme qui nous permet de penser d'autres ruptures de l'existence. Toute rupture rejouerait ainsi d'une certaine manière cet arrachement premier. En pensant les conditions d'une naissance qu'on serait tenté de qualifier de « suffisamment bonne », empruntant ce qualificatif au pédopsychiatre Donald Winnicott, on pourrait dégager des éléments qui transforment un arrachement en une « naissance » ou une « renaissance » du sujet.

Toute naissance ou renaissance, par la rupture qu'elles présupposent, doivent être accompagnées. Penser la rupture, c'est penser aussi l'hospitalité qui accueillera l'individualité en transit, entre le double et l'un (dans le cas d'une naissance), ou entre le faux et le vrai (dans le cas d'une renaissance), et lui offrira une sphère de sécurité où déployer son être vulnérable, où affirmer son

---

1. *Cf. ibid.*, p. 84 : « À leur insu, ils portent nos blessures, nos rêves. Ils doivent s'en défaire – les métamorphoser – pour respirer avec leurs poumons, marcher en s'appuyant sur leurs jambes, penser avec leurs propres pensées. Ils hésitent, ils tâtonnent, ils voudraient réponde à nos vœux secrets. Mais nous aimer, c'est aussi nous quitter. »

identité encore fragile. Mais on peut soutenir également que toute rupture, pour être supportable, doit aboutir à un acte de création. Elle doit permettre à la subjectivité d'apparaître ou de s'affirmer, de se créer sans entrave, sans emprise. À travers la naissance et la renaissance, c'est bien l'idée d'une séparation consentie et consolidante qui se joue.

Anne Dufourmantelle emploie à plusieurs reprises dans son œuvre la formule « naître ne suffit pas ». Quel est ce manque de la naissance ? Comment accompagner une naissance et la prolonger, comment permettre à l'être tout juste né de se déployer ? Il faut interroger l'attention, la qualité de la présence, mais aussi la voix, la musique, le toucher qui accueillent, soutiennent et rendent possibles naissance et renaissance. La naissance s'inscrit elle-même dans une histoire de désirs et de représentations de l'enfant qui précède son existence biologique. Toute naissance est enveloppée d'une chrysalide de projections heureuses, d'angoisses, de paroles et de mélodies[1].

On a oublié à quel point la naissance est pour le nourrisson une souffrance physique, souffrance de l'extraction, de la première respiration, agressivité du monde extérieur, froid, bruyant, aveuglant[2]. Même lorsque l'accouchement

---

1. *Cf.* Anne Dufourmantelle, *Éloge du risque*, Payot & Rivages, 2014, « Que cessent nos tourments… », p. 126 : « … le fait d'arriver dans la vie parce qu'un autre vous a porté, nommé, balbutié, espéré, redouté, chanté, délivré, ce qu'on appelle autrement : être né. »

2. *Ibid.*, « Solitudes », p. 142 : « Nous avons oublié que nous fûmes un jour arrachés à l'état fœtal, à cette mémoire utérine

se déroule au mieux, la naissance est un passage brutal de l'enveloppement rassurant et la coprésence à l'unité angoissante, vécue comme un exil. « Découvert », nu, l'enfant est exposé, renvoyé à sa très grande vulnérabilité, après avoir été porté et intimement uni, entouré par la bulle matricielle. Il lui faut un nouveau cocon qui le protège du monde rugueux et inhospitalier. Le soin est alors la reconnaissance et la prise en charge de cette fragilité de l'enfant. Il faut prolonger par la douceur du toucher, la chaleur du peau-à-peau, les paroles rassurantes chuchotées, le sentiment d'être constamment entouré de présence, d'attention, de corps bienveillants. Au corps utérin, il faut en substituer un autre, chimérique, fait de voix, de caresses, de pressions douces appliquées à l'enfant, chair de mots et de touchers qui le rassurent tout en lui permettant d'élaborer petit à petit la perception de son corps propre[1]. Cette poche artificielle de protection du nouveau-né que de nombreuses cultures déclinent en l'emmaillotant joue un rôle essentiel sur le

---

qui nous a portés. Un né du deux par division cellulaire. Nous remettons-nous jamais de cet exil ? Parlerions-nous sinon ? »

1. Anne Dufourmantelle, *Puissance de la douceur*, Payot & Rivages, 2013, « Prendre soin », p. 25 : « La douceur vient avec la possibilité de la vie, avec l'enveloppe utérine qui filtre émotions, sons et pensées, avec l'eau amniotique, avec le toucher à l'envers de la peau, avec les yeux fermés qui ne voient pas encore, avec la respiration protégée des agressions de l'air. Sans la douceur de ce toucher originel, nous ne serions pas au monde. Sans doute dort-il dans chacune de nos cellules, nous invitant à ce retour impossible à ce monde perdu qui fut, bien avant les bras maternels, un bercement. Le monde de l'enfance le prolonge. » Voir aussi les mots d'Anne Dufourmantelle sur les grands prématurés, *ibid.*, p. 26.

plan psychique, elle constitue la trame d'une confiance
en l'adulte, nourrit le sentiment de pouvoir s'appuyer sur
lui. Les soins apportés aujourd'hui aux grands prématurés
témoignent de la prise de conscience de la nécessité de
cet environnement chaud, protecteur et rassurant. Il n'est
pas si étonnant que certaines pratiques, comme le peau-à-
peau, se soient inspirées de gestes traditionnels (de mères
indiennes sud-américaines) qui portaient leur nourrisson
à même le torse pour leur communiquer la chaleur de
leur corps et augmenter ainsi leurs chances de survie.

Pourquoi ce soin est-il si difficile ? Pourquoi parfois
échoue-t-il ? Parce que la vulnérabilité de l'enfant, comme
celle du vieillard, réveille ma propre vulnérabilité. Parce
que la fragilité de l'autre me met en difficulté, me charge
d'une responsabilité qui peut me paraître, à ce moment-là
de ma vie, trop lourde. Parce que son existence semble
reposer tout entière sur la justesse de mes gestes, sur la
force de mon attention. En ce sens, cette vie fragile réqui-
sitionne, avec une exigence démesurée, ma présence et
mon dévouement. Et me met face à la possibilité de ne
pas en être capable. Elle peut me prendre en défaut. L'ac-
cueil d'un être affaibli est toujours un risque, une mise
en danger, là où l'on pourrait croire naïvement qu'elle
est plus simple. La fragilité de l'autre me fragilise, elle
m'oblige, d'une manière parfois brutale, à me confronter à mes propres vacillements[1]. Prendre soin d'autrui

---

1. *Ibid.*, : « L'appréhension de la vulnérabilité d'autrui ne
peut se passer pour un sujet de la reconnaissance de sa propre
fragilité. »

présuppose en effet de « se laisser entamer par autrui, son chagrin, sa douleur et [de] contenir cette douleur en la portant ailleurs[1] ».

La naissance est alors finalement moins un événement qu'un processus, une séparation progressive, accompagnée du soin qui renverse la vulnérabilité en force. En ce sens, elle est création et déploiement d'un « *safe space* », un espace de sécurité intérieure, tel que le pensait Winnicott. Le processus de mise au monde est un accompagnement continu de l'enfant dans sa capacité à créer cet espace intime psychique, à créer en lui, comme l'avait fait la mère pour l'accueillir, un espace intérieur. On serait tenté de voir dans cette dilatation de l'être le motif d'une respiration, d'un accroissement psychique. L'affection et l'attention parentales ont alors ce rôle de créer chez l'enfant la capacité à être seul et à créer seul. L'amour donne suffisamment de confiance pour quitter l'espace matriciel et construire un espace intérieur.

Naître ne suffit donc pas pour se séparer de sa mère, pour exister individuellement. La constitution d'une subjectivité passe par un acte créateur, la création d'un espace intérieur propre. De la même manière, renaître après une expérience douloureuse nécessite d'apprivoiser la solitude et de se confronter à la peur archaïque de l'abandon.

De même que l'amour crée chez le nouveau-né les conditions d'un désir de vivre, il faut parfois recréer

---

1. *Ibid.*

le choix de vivre chez l'adulte plongé dans le désespoir, la souffrance psychique, sur le point de renoncer à sa propre vie. Il faut l'aider à affronter sa « peur nue d'être à jamais seul[1]. » En ce sens, mettre au monde et soigner un chagrin d'amour ne sont pas des taches si différentes[2]. Il s'agit de prodiguer à ceux que l'existence a écorchés une nouvelle « peau » d'affection et de confiance, dont on sait à quel point elle est nécessaire pour se construire ou se reconstruire. C'est peut-être d'ailleurs parce que cette première protection a manqué que certains restent plus sensibles à l'agressivité du monde. Il suffit d'entendre Charles Juliet parlant à plus de 80 ans avec émotion du traumatisme qu'a constitué la mort de sa mère peu de temps après sa naissance. Un tel manque de l'enveloppement premier et d'affection laisse le sujet à vif[3]. Il n'est pas si étonnant de découvrir un vécu similaire dans l'enfance de Winnicott lui-même qui a tant insisté sur la fonction du portage, du « holding », à la fois comme manière de tenir physiquement l'enfant, afin qu'il se sente en sécurité, mais aussi d'un soutien psychique. Winnicott, enfant, a en effet beaucoup souffert de l'attitude d'une mère dépressive qui l'obligeait à une inversion des rôles déstabilisante et angoissante.

---

1. Anne Dufourmantelle, *En cas d'amour*, Payot & Rivages, 2013, p. 58.
   2. *Ibid.*, p. 59.
   3. *Cf.* Charles Juliet, interviewé sur France Culture, dans *Le Temps des écrivains*, le 10 août 2018 : https://www.franceculture. fr/emissions/le-temps-des-ecrivains/peut-etre-ne-peut-vraiment-imaginer-que-ce-que-lon-a-deja-vecu-soi-charles-juliet

La réflexion sur la structure de la naissance permet de dégager des lignes d'interprétation de la renaissance psychique d'un sujet mis à mal par une relation destructrice ou une expérience violente. À travers elle, nous entrevoyons aussi la manière dont peut émerger à nouveau l'être blessé. Si la rupture est parfois la condition nécessaire d'une renaissance (rompre avec un parent dépressif, se libérer d'une vie asphyxiante, mettre un terme à un amour éteint, se remettre d'un traumatisme, se réapproprier son corps après une agression ou une maladie), elle ne peut se faire sans une nouvelle enveloppe protectrice qui recouvre d'une peau de mots, de gestes et d'attention la blessure du trauma[1]. Ainsi, seulement, on pourra suturer la plaie, couper le feu de la brûlure et renaître.

---

1. Anne Dufourmantelle, *Puissance de la douceur, op. cit.*, « Trauma et création », p. 119 : « Pour approcher, voire guérir d'un trauma, il faut aller jusque-là où le corps a été atteint. Il faut coudre une autre peau sur la brûlure de l'événement. Fabriquer une enveloppe protectrice ad minima sans quoi aucune délivrance n'est possible, car alors le trauma fera hantise dans la vie de l'individu. La douceur est l'une des conditions de cette reconstruction. »

7

Rompre avec sa famille

« Meurs totalement une fois à tout ce
que tu aimes, à tout ce qui compte pour
toi. Puis relève-toi[1]. »

Antoine Wauters

Dans un texte âpre, *Pense aux pierres sous tes pas*, sou-
tenu par une écriture tendue, le romancier Antoine Wauters
pose les principes d'un manuel de survie à la violence familiale : les « Règles pour survivre à sa propre famille ». Dans
cette histoire où les coups pleuvent sur les enfants, la douleur
explose à retardement. Ce n'est pas dans la maltraitance
quotidienne, devenue unique modalité du rapport au père,
mais dans son absence qu'elle surgit. C'est parfois dans
l'écart, dans la distance et la comparaison avec d'autres
vies qu'apparaît, comme dans une déflagration, la réalité
de la souffrance endurée. Lorsque l'enfant est confiée à son
oncle, elle prend conscience de la violence subie.

Mais une fois chez Zio, ce fut comme si je relisais l'histoire avec un regard juste. Et j'eus envie de hurler ma rage.

---

1. Antoine Wauters, *Pense aux pierres sous tes pas, op. cit.*, p. 70

Oui, pour la toute première fois, je découvris que la vie pouvait être belle, riche, étonnante, tendre et dure à la fois. Et que, jusque-là, j'avais passé mon temps comme sous une cloche en verre[1].

Quand la vie devient plus douce, le passé sombre paraît intolérable et explose à la figure. Au contact de la beauté, de la gentillesse, de la bienveillance, de l'amour, notre vie révèle sa laideur, sa violence. Ce que l'on soupçonnait de manière archaïque, primitive, dans les sursauts des entrailles, se déploie avec évidence : cette vie-là est invivable, elle n'a pas à être vécue.

En découvrant comment vivent les autres, on prend en horreur sa vie, on a honte. Honte de sa grossièreté, de sa laideur, de sa violence, de sa stupidité. Elle nous apparaît alors comme une prison, un piège dont il faut désormais s'enfuir, avant de s'y perdre. Comment survivre ? En se coupant de l'amour destructeur, en désertant le lien, en faisant mourir celui que l'on était pour eux, ceux qu'ils étaient pour nous : « Meurs totalement une fois à tout ce que tu aimes, à tout ce qui compte pour toi. Puis relève-toi[2]. »

Ces parents sont de toute façon incapables d'aimer sans détruire[3]. Lorsque la violence innerve à ce point les gestes de l'adulte, seule la fuite nous sauve. Paps, le père, est la première victime de sa violence, qu'il s'inflige aussi à lui-même.

---

1. *Ibid.*
2. *Ibid.*, p. 91.
3. *Cf. Ibid.*, p. 111 : « Comment se fait-il que les plus belles choses nous passent sous le nez ? Comment n'arrive-t-on pas à être le père que l'on voudrait être ? »

La trame de cette histoire rappelle celle des grandes tragédies. On ne s'en sortira pas sauf à rompre avec les parents maltraitants, victimes et bourreaux à la fois. Il faut tuer le père. C'est à ce prix seulement que l'on pourra se relever.

Les « Règles pour survivre à sa famille. Mesures contre la peine » sont bien une méthode de mise à mort. Faire de ses parents des étrangers, des cadavres, faire taire toutes les voix de l'affection, affamer l'amour qui résiste. Se faire pure indifférence :

> 1. PENSE À TON PÈRE comme à un étranger. Dis-toi qu'il sera le dernier à te venir en aide quand ton cœur sera près d'être percé.
> 2. PENSE À TA MÈRE comme à une morte. Recouvre-la de terre. La nuit, marche en tapant des pieds pour n'entendre pas ses plaintes monter vers toi.
> 3. DIS-TOI QUE LE LIEN DU SANG N'EST RIEN. [...]
> 4. ÉVITE LES MOMENTS DE JOIE avec eux. Plus tard, ils reviendront nourrir ta nostalgie et te piétiner le cœur. [...]
> 6. APPRENDS À TAIRE LEURS VOIX en ton cœur. Car ce n'est jamais eux qui t'appellent, mais toi, pauvre malheureuse qui en imite les voix. Par soif. Par peur. Par nostalgie[1].

Ces lignes terribles, écrites dans la rage et le désespoir du manque d'amour parental, sont un manuel de survie[2].

---

1. *Ibid.*, « Règles pour survivre à sa propre famille », p. 67.
2. *Ibid* : « Pourquoi n'avez-vous jamais été là ? Ivre de rage, je pris alors un morceau de papier et notai ces mots, d'une traite, parce que ma vie en dépendait. Ma pauvre vie en dépendait. »

Il s'agit bien de sauver sa vie, de fuir, pour se relever ailleurs, se défaire des mythologies familiales et s'extraire de la sauvagerie de certains liens, pour échapper à la dévoration. Il n'y a plus que la coupure radicale, la déprise qui permettent de survivre ; qu'il s'agisse de se libérer d'une loyauté toxique, de liens venimeux ou, plus simplement, reconnaître la réalité d'une différence trop grande pour permettre un accord ou une réelle compréhension. Parfois aussi, on se sépare pour vivre chacun à sa manière un événement qui nous atteint très profondément. Dans *Le Jour où la Durance*, la romancière et philosophe Marion Muller-Colard affirme ainsi qu'il y a des liens qui doivent être défaits pour que chacun trouve sa propre réponse à l'événement qui le bouscule profondément. « En dépit des mythologies maternelles qui fondent nos vies de famille, il arrive, entre une mère et une fille, qu'il faille couper tous les fils et que chacune ne coure plus que pour sa peau[1]. »

Il n'est pas innocent qu'on parle ici de peau. Il s'agit de sauver sa peau, mais de reconnaître aussi la différence de perceptions, des vécus, des identités propres. C'est bien dans la confusion des chairs, l'indistinction des limites de chacun que se joue la violence, inscrite potentiellement au cœur même d'une relation maternelle. C'est lorsque les peaux de la mère et de l'enfant se recouvrent que ce dernier risque l'asphyxie. Il faut alors se libérer de la fidélité absolue aux parents, qui résiste même aux plus

---

1. Marion Muller-Colard, *Le Jour où la Durance*, Gallimard, coll. « Sygne », 2018, p. 79.

grandes violences[1]. Il faut se défaire d'un amour barbare. Dans *La Sauvagerie maternelle*, Anne Dufourmantelle a analysé sans tabou ce paradoxe d'un soin maternel destructeur. Celle qui m'aime me détruit, patiemment. Sa peau empiète sur la mienne jusqu'à m'étouffer : « La dévoration mélancolique, c'est l'œuvre de la sauvagerie dans la lente patience[2]. »

Parfois le lien familial fait de moi un « otage », me privant d'une vie psychique propre[3]. Il est alors nécessaire de se séparer pour naître à soi et provoquer l'irréparable d'une déprise[4], la réponse vitale à l'emprise d'une mère sur sa fille. Dans les cas étudiés par Anne Dufourmantelle, la sauvagerie maternelle laisse sur le corps des jeunes filles les stigmates d'une présence vampirisante. Le corps amaigri dit quelque chose du « festin cannibale » auquel se livre la mère dévorante. Il faut alors, pour la jeune fille, « vomir, mourir, naître » : vomir la mère en soi qui phagocyte la fille. L'expulser de soi, « choisir de naître pour retrouver un corps qui sera le [sien][5] ». Comme si, jusqu'à présent,

---

1. Anne Dufourmantelle, *La Sauvagerie maternelle*, Rivages, 2016, p. 147 : « Il y a cette étrange chose dans la nature humaine qui est la fidélité absolue aux parents, à ceux qui nous ont élevés, même quand ils nous ont donné l'amour sous cette étrange et cruelle forme qu'on appelle le mal. »

2. *Ibid.*, p. 132-133.

3. *Cf. Ibid.*, p. 174 : les enfants « otages ravis de ce mélange de peaux ».

4. *Ibid.*, p. 133 : « C'est une déprise qu'il s'agit d'opérer, une déprise au niveau le plus radical, celui qui concerne le désespoir de vivre même. »

5. *Ibid.*, p. 134.

elle n'avait pas habité son propre corps, ni même sa propre vie. L'expulsion de la mère est renaissance psychique, élaboration d'un espace intime jusqu'alors inexistant. Pour cela, il faut assumer le risque de la coupure, « une coupure véritable d'où naît le sentiment de vivre », le sentiment d'exister en première personne, et non à travers la mère. Pour tout simplement naître enfin à soi. Mais cela suppose d'affronter la culpabilité d'une mise à mort de la mère. La réappropriation de soi, de son corps, passe par une scission qui ampute la mère de manière vitale : « La sauvagerie maternelle est prise dans un ordre d'indifférenciation qui fait recouvrir bord à bord des peaux sans qu'aucune différence ne vienne en altérer le poids. La coupure est impossible sinon l'autre est voué à la mort[1]. » Il s'agit sans doute plus d'un arrachement que d'une coupure.

Sacrifier la mère, rompre le lien pour s'accorder à soi une zone d'existence, construire ou reconstruire un « espace intime » : lorsque le lien épuise plus qu'il ne nourrit, il est nécessaire d'y renoncer, quelle que soit la violence nécessaire à sa destruction. Dans les cas pathologiques évoqués, c'est une question de survie, d'urgence thérapeutique, il faut mettre fin à une logique de sacrifice de soi et d'autodestruction : « Elles portent leur mère à bout de bras pour la faire tenir en vie […] et vivent dans un état de guerre permanent qui les rend incapables de s'accorder à elles-mêmes un espace intime[2]. »

---

1. *Ibid.*, p. 117.
2. *Ead.*, *La Sauvagerie maternelle*, *op. cit.*, « Vomir, mourir, naître », p. 132.

Paradoxalement, c'est parfois la catastrophe qui aide ces patientes à sortir de leur vie aliénée. Dans le cas de Sarah, c'est une grossesse non désirée puis une fausse couche qui déclenchent la décision de rompre avec sa mère. Cette grossesse interrompue, retour involontaire au corps et convocation de l'intime, permet une véritable renaissance au point de « symbolis[er] la naissance de Sarah elle-même[1] ».

Il arrive également que cette coupure s'opère d'elle-même, provoquée par un événement paroxystique dont la violence psychique entraîne une sorte de réflexe de survie. C'est ce point de rupture, point de non-retour, que décrit très clairement Lionel Duroy dans son ouvrage d'inspiration autobiographique intitulé *Le Chagrin*. Les ruptures sont parfois silencieuses et intérieures. Elles n'en sont pas moins radicales et définitives.

On peut qualifier de point de rupture ce moment où quelque chose se brise intérieurement en nous. Quelque chose s'effondre. Une énergie qui maintenait la relation vive s'éteint. Silencieusement, mais avec un tel sentiment d'évidence que le doute n'est pas possible. Bien sûr, la pensée sera tentée de tricoter des récits qui rassurent et camouflent cette vérité, mais, dans le fond, on le sait bien, cet amour s'effondre, dans cet instant, avec cette phrase, ce geste ou ce regard, ou pire encore peut-être dans leur absence, dans le manque d'une considération minimale. Le point de rupture est ce moment où l'on renonce à un

---

1. *Ibid.*, p. 126.

lien, on le défait ou le tranche. C'est le moment où l'on
cesse de croire en quelqu'un, d'attendre quoi que ce soit
de lui. Notre capacité à lui faire confiance s'est épuisée
au fur et à mesure des déceptions, des mensonges, des
violences ou des trahisons. Ou bien, elle s'effondre d'un
coup, sous nos yeux incrédules, comme une falaise de
craie. C'est le moment de la perte, cet étrange moment où
l'on « perd » quelqu'un encore vivant. C'est ce qu'éprouve
William, le jeune narrateur du *Chagrin* :

> C'est le lendemain matin, en découvrant ma mère
> dans la cuisine, que survient ma rupture avec elle. Elle
> est de dos, je ne sais pas ce qu'elle prépare à manger,
> mais comme je n'ose plus lui adresser la parole, j'attends
> qu'elle se retourne […] pour me dire quelque chose, ou
> même simplement me regarder, ce qui permettrait de
> renouer le fil entre nous. Mais elle ne se retourne pas,
> elle nous ignore tous absolument, or je vois bien qu'elle
> n'est pas brulée, que tous ses membres fonctionnent, et
> ainsi commence à s'installer dans mon esprit que c'était
> bien de la comédie, en effet. Que cette scène qui m'avait,
> au sens propre du mot, brisé le cœur (à moi comme aux
> plus jeunes, je suppose), n'avait été pour elle qu'une ruse
> destinée sans doute à ce que Toto lui trouve enfin son
> appartement boulevard Suchet[1].

Pour William, cette nouvelle crise imposée par la mère
à ses enfants, lors d'un incendie domestique où elle
simule la folie, est la scène de trop. S'opère alors une

---

1. Lionel Duroy, *Le Chagrin*, J'ai lu, 2011, p. 185-186.

mort intime. Cette mère qui le détruit psychiquement, comme le ferait une brûlure intérieure, cesse brutalement d'exister pour lui. Pour se préserver des douleurs qu'elle pourrait encore lui infliger, il s'ampute de cette relation qui le gangrène moralement. Pour échapper à la contagion d'égoïsme mortifère et à la violence psychologique, nous faisons « mourir » l'autre en nous. Il faut mettre fin à l'incendie intime qui nous consume.

Dans cette scène, ce n'est pas la parole qui crée la rupture, mais son absence. Le silence est performatif, il est négation du fils, il entérine la violence maternelle. Cruauté de ce qui n'est pas dit, ce qui n'est pas fait. Les mots et les gestes qui ne viennent pas, ces insupportables blancs, suspendent la relation. Les phrases qu'on ne prononce pas détruisent parfois plus que l'injure.

Pas de parole maternelle, ni même un simple regard, une minimale attention. Ces manques signent la fin de l'attachement, l'épuisement de tout amour possible. La brutalité de ce manque, à ce moment-là, après le paroxysme de la crise de nerfs, opère une disjonction radicale. Il n'y a plus chez le jeune garçon d'affection pour sa mère. Comme si elle s'était consumée instantanément, dans le secret de sa poitrine, dans la sidération de cette scène qui devient point de rupture. Sa mère est désormais comme morte, fantôme de la mère qu'elle n'a pas su être pour lui, elle n'a plus d'existence qu'en tant que figure vague, vidée des attentes et de l'amour filial qui la faisaient exister comme mère.

« Quand notre mère mourra, bien des années plus tard, poursuit le narrateur, et que je m'étonnerai de ne pas éprouver de chagrin (ou si peu), j'en viendrai à me donner pour explication qu'elle était déjà morte en moi, et que sa disparition remontait sans doute à cette fameuse crise de nerfs, l'année de mes dix ans, où je l'avais pleurée comme si je ne devais plus jamais la revoir[1]. »

Plus exactement, elle devient l'inverse même d'un fantôme ; un être physiquement présent, mais devenu indifférent à ses yeux, qui ne suscite plus de sentiment en lui. Devenue brutalement étrangère. Parce qu'il ne peut plus payer le prix exorbitant de l'amour pour cette mère égoïste, elle cesse d'être l'objet d'un investissement affectif. Il s'agit d'ailleurs moins d'une délibération que d'un sursaut, un réflexe psychique de survie. Elle cesse d'être la mère qu'il a aimée.

Mais il est également possible que cette rupture, ce violent désamour, se manifeste en dehors de toute maltraitance. Comme on cesse d'aimer un compagnon ou une amante, il est possible, affirme Catherine Malabou, dans un passage surprenant de son *Ontologie de l'accident*, que l'amour familial s'évanouisse. Qu'autrui cesse pour nous d'être objet d'amour, qu'il meurt comme tel :

> Il est possible, cela finit par arriver un bon jour, qu'on n'aime plus ses parents ni sa famille. « Maintenant je ne les aime plus. Je ne sais plus si je les ai aimés. Je les ai

1. *Ibid.*, p. 186.

quittés. » Un tel désamour ne vient pas « avec » le temps non plus. On ne cesse pas progressivement d'aimer ses proches. Peut-être d'ailleurs ne cesse-t-on jamais « progressivement » d'aimer qui que ce soit. Je ne suis pas loin de penser que la fin de l'amour est toujours brutale[1].

Il faut dire la profonde angoisse générée par ces lignes. Mais envisager aussi qu'en amour, quelle que soit sa nature, on puisse penser une brusque disparition des sentiments. Qu'il y ait de l'irrémédiable. Un moment de rupture sans retour possible.

---

1. Catherine Malabou, *Ontologie de l'accident*, *op. cit.*, p. 58.

8

Disparitions

« Combien d'êtres nous quittent ou
se quittent eux-mêmes avant de disparaître[1] ? »

Catherine Malabou

« L'autre est perdu, il s'éloigne inexorablement. On le
sait, mais on s'applique d'abord à compenser ses défaillances et à recomposer, en puisant dans ses propres
forces, les liens qui se défont. [...] Les égarements de
l'autre deviennent insupportables. De sorte qu'il ne reste
plus à la fin qu'une seule solution : rompre soi-même la
relation rendue impossible[2]. » S'agit-il ici du récit déses-
péré de la fin d'un amour, l'annonce d'une rupture amoureuse ? Oui et non. Dans cet extrait, le philosophe Michel
Malherbe évoque la « débâcle d'une existence[3] » et la fin
de sa relation avec sa femme Annie. La maladie d'Alzheimer l'a rendue si étrangère à elle-même que la rupture
semble la seule issue.

1. *Ibid.*, p. 50.
2. Michel Malherbe, *Alzheimer, op. cit.*, p. 37-38.
3. *Ibid.*, p. 37.

Il est une manière très particulière de perdre une personne qui nous est chère, quand la maladie l'arrache à
nous tout en la maintenant présente, vivante mais méconnaissable, incapable de tenir son rôle, désertant involontairement et parfois sans même en avoir conscience
la relation affective qu'elle entretenait avec nous. C'est
alors à nous de revivifier ce lien qui s'éteint à mesure que
l'autre s'efface et s'absente de cette relation. La maladie
rend ce lien ténu et le brise lorsqu'elle atteint les capacités
physiques et mentales, lorsqu'elle paralyse, fige les expressions, troue la mémoire, interdit la parole et les échanges.
Lorsque la pathologie ne rend plus possible la manifestation des sentiments, prive de dialogues, muselle même la
plainte et la réduit à des larmes, à des sanglots étouffés.
Comment supporter de perdre celui qui est encore là, le
voir s'éloigner à mesure que la maladie avance, que ses
forces s'amenuisent et sa personnalité l'abandonne ? On
assiste impuissant à sa souffrance de se savoir si diminué,
souffrance qui redouble la nôtre. Mais on souffre aussi,
dans certaines maladies psychiatriques ou neurologiques,
dans certaines addictions également, de l'indifférence qu'il
paraît manifester face à cette relation perdue. Le malade
nous quitte parce qu'il s'est déjà, dans une certaine mesure,
quitté lui-même, comme le dit bien Catherine Malabou.
Sans en avoir conscience, il a renoncé à la personne qu'il
était, est devenu définitivement autre, transformé par la
maladie. Il reste alors au proche la charge épuisante de
retisser à chaque instant un lien qui s'effiloche, de porter à
bout de bras une relation à laquelle il reste parfois le seul
à tenir, alors que le malade sombre dans l'inconscience

totale de son état. Une relation sans cesse niée par la pauvreté des interactions, par la disparition de gestes de complicité ou de familiarité, par la perte d'une proximité intellectuelle et physique. Le conjoint, le parent ou l'enfant deviennent les garants d'une personne aimée qu'ils voient disparaître à mesure qu'elle est altérée, réduite ou défigurée par les attaques de la maladie.

Qu'est-ce qui fait que l'on perd quelqu'un avant qu'il ne meure ? On le perd parce que la relation s'est brisée, parce qu'on ne parvient plus à le reconnaître. Il y a dans sa façon d'être, de penser, de se rapporter à nous, un tel changement qu'il nous semble radicalement différent de la personne aimée. Dans son roman autour de la maladie d'Alzheimer, *On n'est pas là pour disparaître*, Olivia Rosenthal résume cette disparition en quelques mots : « Tu t'éloignes. Tu n'es plus comme avant. Tu deviens autre. Tu as la maladie de A[1]. »

Pour le proche qui visite régulièrement le patient, le constat est celui d'une « hémorragie de la présence », selon l'expression de Michel Malherbe. Chaque nouveau rendez-vous, si l'on peut parler de rendez-vous avec un proche de plus en plus étranger, on ne peut faire que le constat de la perte diluée de l'amour, de l'effritement perlé de la relation, réduite à des bribes de phrases. Devant cette mort à petit feu, on en vient à souhaiter que le malade disparaisse, comme l'exprime la narratrice d'Olivia Rosenthal :

---

1. Olivia Rosenthal, *On n'est pas là pour disparaître*, *op. cit.*, p. 70.

Ne me force pas à t'abandonner
s'il te plaît
disparais
maintenant
tout de suite
immédiatement[1].

Michel Malherbe décrit l'extrême violence de cette
perte de l'être cher, répétée chaque jour – « quelqu'un
s'anéantit à l'état vif[2] » –, et met très justement le
concept de reconnaissance au cœur de son analyse. Il
évoque une « hémorragie de la reconnaissance » : nous
ne reconnaissons plus l'autre qui ne nous reconnaît plus
non plus. Il n'y a plus que le souvenir de la personne
auquel se rattacher avec peine pour continuer à voir en
elle l'être aimé. Parfois des petits sursauts de présence
rappellent cette personne en train de disparaître. L'identité faiblissante clignote encore un peu, par instants.
S'il n'y a plus reconnaissance que dans l'effort artificiel
pour identifier des signes dérisoires de sa présence, y
a-t-il encore à proprement parler subjectivité ? En quoi
cette femme malade est-elle encore ma femme ? se
demande Michel Malherbe. Partagent-ils encore une
histoire, s'inscrivent-ils encore dans une relation commune ? Non, répond Malherbe. « Comment poursuivre
un récit qui sera sans héros[3] ? »

---

1. *Ibid.*, p. 77.
2. Michel Malherbe, *Alzheimer, op. cit.*, p. 10.
3. *Ibid.*, p. 10.

Pour dire cette perte de l'autre toujours vivant, Malherbe emploie les images de fossilisation. La maladie d'Alzheimer « incruste quelqu'un dans la matière du monde, tel un fossile qui se pétrifie dans une couche sédimentaire[1] ». Le patient dure mais « il ne continue pas d'exister[2] ». La conscience n'est plus intentionnalité, elle « perdure, mais elle n'est plus acte, elle s'est réalisée en une durée opaque[3] ». Le visage, encore une fois, dit cette fragmentation interne, cette impossibilité à être un soi uni et vivant : « Sa parole se défait inexorablement, elle devient silence ; son regard, pourtant fidèle et souriant, s'est figé, toute son apparence se rigidifie. Et pourtant elle a conservé son air aimable. Mais elle n'est plus qu'une image fossilisée[4]. » On pense à une statue de cire, au sourire inexpressif. On peut se souvenir de l'analyse étonnante que fait Spinoza dans *L'Éthique*, d'un corps vivant mais mort. Partant de l'histoire d'un poète espagnol amnésique, Spinoza défend l'idée qu'un corps, bien que toujours vivant d'un point de vue biologique, puisse être considéré comme mort :

> Je n'ose nier en effet que le corps humain, bien que le sang continue de circuler en lui et qu'il y ait en lui bien d'autres marques de vie, puisse néanmoins changer sa nature contre une autre entièrement différente. Nulle raison ne m'oblige à admettre qu'un corps ne meurt que

---

1. *Ibid.*, p. 11.
2. *Ibid.*, p. 225.
3. *Ibid.*, p. 226.
4. *Ibid.*

s'il est changé en cadavre ; l'expérience même semble persuader le contraire. Parfois en effet, un homme subit de tels changements qu'il serait difficile de dire qu'il est le même[1].

Son corps est mort en tant qu'il a cessé d'exprimer la singularité de ce sujet. C'est le même constat que fait Michel Malherbe regardant son épouse malade. Il n'y a plus sur le corps d'Annie les signes de sa personnalité. Sa grâce, si identifiable et identifiante, l'a désertée. Son corps n'est plus qu'un ensemble de symptômes. Il n'exprime plus la subjectivité de sa femme mais seulement la maladie qui l'a envahie et l'altère.

> Les signes expressifs expriment plus la maladie que la personne, délivrent une typique clinique plus qu'une identité singulière. C'est comme si, étant face à Annie, je ne parvenais plus à capter ce que j'avais pourtant capté dès le premier instant, sa grâce personnelle, cette excellence d'être qui me la rendit unique[2].

Y a-t-il encore quelqu'un ? S'agit-il encore d'une personne ? S'agit-il encore de sa femme ? Le malade est à la fois excessivement présent, d'une présence parfois insupportable, dont je ne peux pas faire abstraction, et absent, absent à la relation et à soi.

---

1. Spinoza, *Éthique*, Flammarion, coll. « GF », 1993, partie IV, scolie de la proposition XXXIX, p. 258. Cité aussi par Catherine Malabou dans *Ontologie de l'accident* (*op. cit.*, p. 36).
2. Michel Malherbe, *Alzheimer*, *op. cit.*, p. 225.

C'est elle et ce n'est pas elle. Elle est comme un texte dont on se dit qu'étant un texte, il doit bien avoir un sens, mais si obscur que l'on en vient à se demander si c'est vraiment un texte. Elle est présente, oui, mais d'une présence dont on ne peut pas donner le sens. Présence et absence. Une présence en absence qui n'est peut-être qu'une absence en présence. Comment en décider[1] ?

L'autre est là, mais il est déjà inatteignable, dans un ailleurs. Est-il encore lui-même ? Comment supporter cette torture affective d'un tel délitement de l'être aimé ?

Il faut envisager une rupture mentale, une dissociation. C'est ce que propose Olivia Rosenthal dans *On n'est pas là pour disparaître*, où elle étudie les réactions de chacun face à celui dont la mémoire, et son lien avec le réel et avec les autres, disparaît. Face à la « maladie de A. », telle qu'elle renomme la maladie d'Alzheimer, il faut opérer une séparation. Entre la personne qui existait avant la maladie et celle qui est née de cette maladie. « Il faut faire un effort d'oubli. De séparation. Séparer ce qui est aujourd'hui de ce qui autrefois fut. Séparer l'homme qu'on a aimé de celui que l'on vient visiter sans toutefois lui retirer l'amour. Garder l'amour mais séparer. Tâche impossible. Garder l'amour. Séparer[2]. »

Il faut alors séparer, distinguer les personnes qui sont pourtant les mêmes. Garder le souvenir heureux de la personne aimée et continuer à l'aimer et en même temps

---

1. *Ibid.*, p. 15.
2. Olivia Rosenthal, *On n'est pas là pour disparaître*, p. 152.

réussir à la séparer de celle qui se pose là devant nous dans la négation même de cet amour, le bafouant, sans lui tenir rigueur de ce sacrilège à nos yeux.

Il faut rompre, parce que la maladie détruit la relation et menace parfois de contaminer les souvenirs heureux d'images sordides, jette un soupçon rétrospectif sur la nature même de la relation passée. Le malade ne perd pas seulement la mémoire de qui il était, il oublie aussi qui il ne peut en aucun cas être. Dans une écriture tout en subtilité, avançant par strates, comme pour marquer le dépouillement des différentes pelures de la conscience, la narratrice nous livre un autre aspect de la maladie mentale et sa puissance de destruction des liens affectifs : « Jamais tu n'aurais imaginé, dit à un moment la narratrice, que ton père puisse te confondre avec ta mère. [...] Jamais tu n'aurais imaginé que ton père puisse te désirer.[1] »

Sans aller toujours jusqu'à de tels moments particulièrement déstabilisants pour les proches, on voit bien comment la maladie qui dépouille le sujet de son identité, « rompue et fragmentée[2] », finit par détruire aussi la possibilité même de la relation et du maintien de la présence auprès de l'être autrefois aimé. On retrouve ici encore sans doute quelque chose comme un point de rupture, ou un moment charnière où la relation n'est

---

1. *Ibid.*, p. 35, 58.
2. *Cf.* Michel Malherbe, *Alzheimer*, *op. cit.*, p. 225 : « Rompue et fragmentée en éclats temporels successifs, séparés par de longues plages d'absence, son identité personnelle est devenue une énigme insoluble. »

plus possible, quand l'autre est si absent à lui-même que plus rien ne maintient le sentiment de reconnaissance, à part peut-être une vague ressemblance physique, comme celle qu'une statue de marbre peut avoir avec un corps de chair. Quand l'autre s'éteint, je m'épuise à l'atteindre, dit Barthes, et je suis envahi par un sentiment de folie : « Le fading de l'autre, quand il se produit, m'angoisse parce qu'il semble sans cause et sans terme. Tel un mirage triste, l'autre s'éloigne, se reporte à l'infini et je m'épuise à l'atteindre. […] L'être aimé, ainsi, n'en finit pas de s'évanouir, de s'affadir : sentiment de folie, plus pur que si cette folie était violente[1]. »

Il n'est pas si étonnant que nous retrouvions de nouveau le « fading » de Barthes. Lui-même utilise ce terme pour décrire les moments d'absence de la grand-mère du narrateur de la *Recherche* : « Fading déchirant : peu avant de mourir, la grand-mère du Narrateur, par moments, ne voit plus, n'entend plus ; elle ne reconnaît plus l'enfant, et elle le regarde "d'un air étonné, méfiant, scandalisé[2]". »

On voit ici la pertinence de ce concept de « fading » qui dit l'écoulement de l'amour, la décoloration de la relation, sa fadeur progressive. Il permet de penser l'éloignement affectif, la dégradation de la relation et la disparition lente de celui qui s'en absente, en même temps qu'il s'absente à soi, dans le cas de la vieillesse, de la maladie, du handicap ou de l'addiction. L'être aimé n'est plus que l'ombre

---

1. Olivia Rosenthal, *On n'est pas là pour disparaître, op. cit.*
2. Roland Barthes, *Fragments d'un discours amoureux, op. cit.*, p. 145.

de celui qu'il a été pour nous : « Il semble se mouvoir au loin dans un brouillard, non point mort, mais vivant flou, dans la région des Ombres [...], j'appelle [...] mais ce qui vient n'est qu'une ombre[1]. »

Ce que la maladie d'Alzheimer nous signale à l'excès, dans la démesure de l'expérience traumatisante qu'elle constitue pour les proches des malades, n'est donc peut-être pas si éloigné de ce qui se passe de manière plus discrète dans le processus de vieillissement. Il y aurait, d'après Catherine Malabou, une même cassure intime qui éloigne la personne âgée d'elle-même et des autres : « La vieillesse reste fondamentalement une rupture ; elle casse l'être en un point illocalisable, lui fait changer sa route, le conduit à devenir autre, comme on se change[2]. »

Notre vieux parent cesserait de se ressembler et cette transformation serait la raison d'une fin de l'amour familial. On se déprendrait ainsi de ses proches avant leur disparition. « Je ne suis pas loin de penser que la fin de l'amour est toujours brutale. Mais dans le cas des parents, c'est sûr, cela vient toujours d'un coup, comme une mort. On se sépare d'eux avant la mort, la mort réelle ne fait que confirmer la mort dans l'âme. Cela ne fait pas moins mal. Cela fait vide et froid, et c'est effrayant, de dire adieu avant la fin, de dire adieu définitivement alors que rien n'est encore définitif[3]. » Dans cette lecture radicale, et

---

1. *Ibid.*, p. 146.
2. Catherine Malabou, *Ontologie de l'accident*, *op. cit.*, p. 52.
3. *Ibid.*, p. 58.

qu'il faudrait prendre le temps de discuter plus avant, se dit toutefois un élément essentiel ; la mort de l'autre est une « mort dans l'âme ». Autrui meurt d'abord dans notre tête, parce qu'il est devenu trop différent de lui-même, nous tirons un trait sur notre relation avec lui, sur la relation telle que nous la connaissions. Celle-ci change de modalité ou cesse tout à fait.

Ces expériences de la perte laissent une marque profonde. L'épreuve de la violence psychique s'imprime en nous de manière ineffaçable et resurgit parfois au cours d'une nouvelle vie.

9

Sexualité de la rupture

« Après la tempête c'est la folie de vivre
qui rejaillira, après on voudra manger le
soleil et les étoiles[1]. »

Patrick Autréaux

Jusqu'où la rupture existentielle laisse-t-elle sa trace en nous ? Plus profondément encore que nous ne l'avions imaginé, jusqu'au cœur du désir, dans notre élan vers l'autre, dans nos relations charnelles et sexuelles. Après une rupture biographique – un deuil, une maladie grave, une rupture amoureuse dévastatrice –, on attend avec impatience le retour à la vie « normale ». Nos proches aussi guettent les signes d'un « mieux ». Mais on ne revient pas à la vie d'avant. Comme nous l'enseigne le philosophe et médecin Georges Canguilhem, dans son analyse sur le normal et le pathologique, il n'y a pas, après la maladie, de *restitutio ad integrum*, de retour à l'état antérieur[2]. Ce

---

1. Patrick Autréaux, *Dans la vallée des larmes*, Gallimard, 2009, p. 37.
2. *Cf.* Georges Canguilhem, *Le Normal et le Pathologique*, PUF ; 2013. Voir aussi chapitre IV, page 128 : « Guérir, malgré des déficits, va toujours de pair avec des pertes essentielles pour l'organisme et

qui est vrai pour la maladie l'est sans doute pour d'autres
types de rupture. Il y a des séquelles, des traces, des stigmates, il reste l'empreinte, la marque de l'arrachement,
de la perte. Quelque chose s'est brisé, qui empêche le
même type de projections, d'enthousiasme, de confiance.
La rupture est aussi rupture vitale, qui s'inscrit organique-
ment en nous. Elle affecte profondément l'élan psychique
et physique, elle affecte notre désir, l'assombrit. On pense
souvent qu'après l'épreuve, le sujet est porté par un désir
de vivre, traversé par une énergie retrouvée. Après avoir
côtoyé la mort, on serait saisi par une énergie vitale neuve
et puissante. Dans son roman *Dans la vallée des larmes*,
Patrick Autréaux témoigne de cette attente sociale : il
faudrait que l'ancien malade adhère de nouveau à la vie,
sans distance, comme si la maladie n'avait été qu'une
parenthèse.

> Les autres, surtout s'ils n'ont jamais été malades et ne
> peuvent que supposer, vous affirment qu'après la tempête
> c'est la folie de vivre qui rejaillira, qu'après on voudra
> manger le soleil et les étoiles. On me disait avec candeur :
> c'est merveilleux, tu es dans une forme éblouissante, tu
> es guéri[1].

On attend que le sujet refleurisse comme rose au prin-
temps. Le malade lui-même peut y croire, un temps. Avec
candeur et naïveté, il espère pouvoir retrouver son corps

---

en même temps avec la réapparition d'un ordre. À cela répond une
nouvelle norme individuelle. »
1. Patrick Autréaux, *Dans la vallée des larmes, op. cit.*

et sa vie d'avant. « Lorsque [les traitements anticancéreux] s'achèvent, on croit recommencer de zéro. On se dit que c'était une initiation et que dans la vie nouvelle toutes les chances vont être redonnées[1]. »

Mais il ne s'agit pas de jouer une nouvelle partie. Le sujet n'est plus le même et la guérison ou la rémission est une autre allure de vie, comme le dit bien Canguilhem. La maladie, comme le deuil ou d'autres formes de traumatisme psychique impriment en nous une profonde inquiétude, l'impossibilité d'un rapport serein et confiant à la vie, une tension et une fébrilité toutes particulières. On ne recommence pas de zéro, on est marqué par une certaine gravité, grevé par le vécu douloureux. Le retour à la vie normale ne va pas de soi. « Comment puis-je commencer quelque chose avec tout cet hier à l'intérieur de moi[2] ? » s'interroge Leonard Cohen dans *Beautiful Losers*. Dans son roman *Le Nouvel Amour*, Philippe Forest montre bien la difficulté à reprendre le cours banal de la vie, s'autoriser à tomber amoureux, s'attacher à une autre femme, se prendre d'affection pour son enfant après avoir perdu sa propre fille et s'être séparé de sa compagne. Il évoque aussi la pression sociale qui le pousse à jouer le jeu de l'adhésion et de la confiance, qui l'encourage à se réinsérer dans les schémas rassurants ; il faudrait alors tourner la page, avoir un autre enfant et entonner avec légèreté les prochains couplets d'une existence

---

1. *Ibid.*, p. 35.
2. Leonard Cohen, *Beautiful Losers* [1961], Blue Door, 2009 : « *How can I begin anything new with all of yesterday in me?* »

sans drame, comme si l'on sortait sans dommage de la catastrophe.

Mais elle a laissé son empreinte au cœur même de l'être, dans sa pulsation primitive, dans la force archaïque du désir sexuel. La violence de l'épreuve transforme notre désir et modifie notre sexualité, qui devient plus intense, plus « turbulente[1] ». Le désir sexuel, démultiplié, insatiable emporte le sujet dans sa démesure : « J'avais soif de corps multiples et d'exotisme. Le désir n'avait plus de règle ni de type. [...] Fasciné par la diversité de mon désir, de ses réponses et de ses veillées inattendues, je me sentais une putain sacrée[2]. »

Cette question de la sexualité après la catastrophe n'est pas un sujet habituel. À l'ancien malade, au père endeuillé, on ne parle pas de ces thèmes tabous. Pourtant, ce désir déchaîné est l'un des symptômes forts d'une modification intime profonde. Comme l'analyse très justement Philippe Forest, il ne s'agit pas du retour du désir de vivre, d'une avidité à vivre mais au contraire l'expression du néant désormais engrammé en nous.

> Personne n'a jamais rien dit de l'étrange effervescence amoureuse qui vient à ceux que l'existence fait survivre au chagrin, cette effervescence avec laquelle ils s'abandonnent parfois, et qui n'a rien à voir avec le goût retrouvé de la vie, le désir de renouer avec elle, de laisser derrière soi la désolation d'avoir vu l'immense abîme où tout finit.

---

1. Patrick Autréaux, *Dans la vallée des larmes*, *op. cit.*, p. 36.
2. *Ibid.*, p. 38-39.

Non, l'insolite est que la notion de néant s'insinue précisément là où l'énergie retrouvée des corps amoureusement livrés l'un à l'autre devrait raisonnablement mettre entre parenthèses tout le reste. [...] La force agissante du désespoir délivrait, surgi de quelque part en nous, quelque chose que nous ne reconnaissions pas : une violence qui s'adressait au monde donc chacun de nous devenait pour l'autre l'image ou bien l'objet – une violence dont, scandaleusement, nous jouissions[1].

L'abandon à cette sexualité est l'expression paradoxale de cette destructivité inscrite en nous. Cette sexualité dévoratrice est comme la reprise en soi du néant et acceptation de sa présence, désormais centrale dans notre vie. Quelque chose de la violence subie s'est immiscé. Il reste en nous la trace de la brûlure, de la morsure du néant. Dans cette fureur à jouir, le sujet éprouvé se déleste d'un peu de cette tension destructrice qui l'anime. Il devient malgré lui principe de violence, la reprend à son compte. La libido débridée dit quelque chose de la violence qui nous a traversés et en partie détruits, presque anéantis. Elle dit quelque chose de ce néant fiché en nous. Elle est l'expression par le corps et dans la relation à autrui de l'expérience de la perte par ailleurs si difficilement communicable. Exploitant la proximité symbolique de la sexualité et de la mise à mort, cette « effervescence amoureuse » est en réalité une manière de rejouer une double mise à mort, approchée dans le drame, mise à mort de soi et d'autrui. Mise à mort de celui que l'on

---

1. Philippe Forest, *Le Nouvel Amour, op. cit.*, p. 31-32.

était, dans sa naïveté, sa confiance en la vie, et deuil d'une insouciance perdue dans le rapport aux autres et au monde, comme l'exprime Patrick Autréaux : « Cependant quelque chose ne revenait pas et son absence me pesait : cette émergence de libido, cette urgence à jouir étaient plutôt les signes d'un deuil sans défunt[1]. »

La sexualité est alors mémoire de la démolition, et le désir, le lieu où se loge la violence résiduelle. Elle est moins l'expression d'un amour, d'un élan vers l'autre que le moment où se rejoue la perte, indéfiniment, dans l'espoir vain peut-être d'en épuiser la violence. Elle porte la trace de la traversée de la nuit.

---

1. Patrick Autréaux, *ibid.*, p. 40.

10

Traverser la nuit

La nuit est le lieu des angoisses et de la mémoire tor-
turante. Nous y sommes parfois piégés, impuissants face
aux obsessions vives, incapables de la traverser dans
l'inconscience. Nos insomnies sont faites de souvenirs
trop présents. Dans la *Seconde considération intempestive*,
Nietzsche fait l'éloge de la capacité de l'homme à oublier.
L'homme peut renvoyer le passé dans un avant et l'inscrire dans l'histoire. Ce n'est que « dans les limites d'un
horizon déterminé », selon le philosophe, que nous pouvons jouir de la santé et de l'énergie créatrice propre aux
êtres vivants. Il nous faut instaurer des limites à l'emprise
du passé sur le présent, l'empêcher d'empiéter sur l'instant
vécu pour ne pas nous enfermer dans la répétition vaine,
la « rumination » et l'insomnie, qui « nuit à l'être vivant
et finit par l'anéantir[1] ». Cette incapacité à dormir nous
tue à petit feu. L'insomnie est l'impossible lâcher-prise,
le refus du sommeil comme abandon. Passer par la nuit,
accepter de disparaître, dans l'oubli du jour passé et l'absence à soi, voilà ce dont une conscience vive a besoin
pour affronter les lendemains. Mais la conscience sans
sommeil étire indéfiniment le passé dont elle refuse qu'il

---

1. Nietzsche, *Seconde considération intempestive, op. cit.*

s'efface. L'insomnie distend la présence, refuse la coupure
du passé, s'épuise dans cet effort vain sans même s'en
rendre compte. Il faut accepter la succession des jours et
des nuits, nous dit Nietzsche, distinguer le clair de l'obscur, séparer ce que l'on peut embrasser du regard de ce
qui est hors de vue. Il est des choses qui doivent rester
définitivement hors champ. Celles qu'on ne peut plus voir,
dans tous les sens du terme. Nietzsche nous encourage à
« tracer autour de nous un horizon déterminé[1] ». Séparer,
circonscrire, déterminer un cercle du présent, une ligne
de démarcation. Mais pouvons-nous si facilement mettre
à distance, délimiter ce qui nous marque ?

Nous n'avons pas tous la même disposition à oublier
le passé, ce qui signifie en réalité le transformer. Nous
ne sommes pas tous capable de nous « approprier les
parcelles du passé », de le digérer et de nous en nourrir,
« l'absorber pour le transmuer en quelque sorte en sang[2] ».
Tous les hommes, les peuples, les civilisations n'ont pas
la même « force plastique » :

> Je veux dire cette force qui permet de se développer
> hors de soi-même, d'une façon qui vous est propre, de
> transformer et d'incorporer les choses du passé, de guérir
> les blessures, de remplacer ce qui est perdu, de donner
> soi-même une nouvelle configuration à des formes bri-
> sées. Il y a des hommes qui possèdent si peu cette force
> qu'un seul événement, une seule douleur, parfois même
> une seule légère petite injustice achève, comme si une

---

1. *Ibid.*
2. *Ibid.*

seule petite écorchure les vidait de tout leur sang. Il y en
a, d'autre part, que les accidents de la vie les plus sau-
vages et les plus horribles touchent si peu […] qu'aussitôt
après, ils parviennent à un relatif bien-être, à une sorte de
conscience tranquille[1].

Il faut interroger ce cercle que chacun devrait dessiner
autour de soi et notre relation au passé qui n'est jamais
purement intellectuelle ou abstraite. C'est toujours un
rapport à des choses qui nous touchent et c'est la raison
pour laquelle il nous est si compliqué d'oublier. Je n'ai
pas de mal à oublier les événements de l'histoire que je
n'ai pas vécus, qui ne m'ont pas marqué. Par contre, il
m'est difficile de mettre à distance les effets d'une guerre
sur mes proches, d'oublier un homme que j'ai beaucoup
aimé, de quitter un lieu où j'ai des souvenirs précieux.
C'est parce qu'il est arrachement que l'oubli est parfois si
difficile, parce qu'il confirme la perte définitive d'un être
ou d'un mode d'être dont je ne crois pouvoir supporter
l'absence sans m'effondrer. En ce sens, il n'y a pas de
« petite écorchure », tout dépend la manière dont une dis-
sonance résonne dans notre histoire. Une petite écorchure
est insupportable sur une peau brulée. Certains éléments
du passé sont difficiles à digérer. Parce que nous sommes
impliqués dans la temporalité, pris dans le pli du temps et
dans les relations qui s'y sont tissées, notre existence n'est
pas une succession de séquences que nous pourrions
dissocier les unes des autres, comme un acteur passe à

---

1. *Ibid.*, traduction revue par nos soins.

une autre scène. C'est parce que nous tenons encore à
notre passé et que nous croyons tenir aussi grâce à ce
passé que rompre nous est si coûteux. Il faut alors être
capable, non pas de véritablement l'oublier, mais de le
transformer, « donner une nouvelle configuration à des
formes brisées », dit Nietzsche, la faire surgir de soi. La
rupture est créatrice si elle se saisit de ce qu'elle brise.
Peut-être cette « force plastique », cette puissance à créer
une nouvelle forme de vie nous sauve-t-elle. Elle tient dans
la capacité du sujet à réinventer son existence ou son
identité en rompant avec les éléments mortifères du passé.

Rupture des contrats

« Je sais ce que tanguer veut dire[1]. »

Marion Muller-Colard

Toutes les vies mises à l'épreuve par une rupture existentielle qui les a ébranlées, les a fait basculer, en gardent une empreinte profonde, que j'ai souvent pensé ici comme une brûlure ou comme une lézarde. Ce qu'elles partagent, c'est l'expérience d'une perte qui touche à la manière dont le sujet se définissait, deuil d'une certaine idée de soi, d'une certaine identité. Après la rupture, je ne peux plus me penser comme avant, et je ne peux plus non plus penser comme avant. La structure même de mes représentations, de mes conceptions morales et plus généralement de mes croyances ou de ma foi s'en trouve modifiée. La rupture balaye les croyances profondément enracinées qui repoussent spontanément loin de nous l'idée du malheur. Comme le dit avec justesse la philosophe Marion Muller-Colard, chacun recouvre ses angoisses de poussières de croyance : nous nous croyons

---

1. Marion Muller-Colard, *L'Autre Dieu. La Plainte, la Menace et la Grâce*, Labor et Fides, 2014, p. 102.

à l'abri, protégés par un « enclos » imaginaire[1]. Nous
pensons qu'il existe quelque chose comme un contrat,
une justice qui s'applique à la vie des hommes. Chacun,
dans sa propre mythologie, définit le « pourquoi de sa vie
et la définition des bases du contrat qui la rend accep-
table[2] ». Mais l'épreuve de la maladie, du handicap, de
la mort d'un proche, rompt les contrats et nous donne
l'impression d'une terrible injustice. Il n'y a pas d'enclos,
il n'y a rien ni personne qui nous protège. Ces croyances
s'effondrent sous le choc du réel. Le drame, l'accident
sont autant de ruptures des contrats implicites que l'on
passe en secret avec une divinité, avec le destin, la fortune
ou les dieux de la rationalité statistique, en se disant que
ce ne serait vraiment pas juste (de mourir au lendemain
de sa retraite après avoir travaillé si dur) ou hautement
improbable (que notre enfant soit aussi atteint d'une deuxième forme d'infection après avoir tout juste réchappé
de la première). Quand s'esquisse la possibilité du malheur, chacun, de l'homme pieux au médecin, peut être la
proie de ces illusions rassurantes et aveuglantes à la fois.
Marion Muller-Colard, qui fut aumônière à l'hôpital, a vu
ces croyances balayées par les drames : « Ces poussières
de croyances, je les ai regardées, avec passion, voleter

---

1. Cette image de l'enclos qui revient à plusieurs reprises dans
le texte trouve son origine dans la figure de Job, *cf. ibid.*, p. 38 :
« Nous dormons du sommeil confiant de ceux qui croient, comme
Job, qu'ils sont protégés d'un enclos. » Voir aussi *ibid.*, p. 51 : « Ce
qu'il [Job] a perdu d'essentiel, c'est la sécurité de l'enclos ».
2. *Ibid.*, p. 39.

dans l'entrebâillement des vies fissurées par l'imprévu. [...] J'ai vu bien des contrats rompus par la maladie[1]. »

L'expérience de ces vies « accidentées » est celle d'un « effroyable dénuement[2] », mise à nu de l'imaginaire irrationnel qui nous protégeait de l'idée de la mort, la douleur, qu'il s'agît de la nôtre, ou de celle de nos proches. Confrontée elle-même à la maladie de son fils, à l'expérience de la Menace, dont la majuscule traduit l'angoisse vitale, Marion Muller-Colard identifie les contrats imaginaires que chacun passe avec son « dieu » pour se rassurer, y compris les siens, qui faussaient son rapport à Dieu[3].

Dans la traversée de ces catastrophes personnelles, quelque chose se fissure en nous. Quelque chose qui touche à notre représentation de l'ordre du monde, à la question du sens de nos existences, à celle du juste et de l'injuste. Ces images inconscientes d'une balance de monde, d'un calcul des joies et des peines, d'un équilibre des défis envoyés à chacun, nous découvrons qu'elles ne sont rien d'autre que nos propres constructions, les

1. *Ibid.*, p. 38.

2. *Ibid.*, p. 41 : « Si j'ai pu approcher toutes ces personnes dans l'effroyable dénuement de leurs vies accidentées, c'est parce que j'avais été moi aussi approchée dans l'angoisse qui me tenait au chevet de mon fils. » (Marion Muller-Colard fait ici référence à son expérience d'aumônière.)

3. *Cf. Ibid.*, p. 82 : dans une très forte analyse critique de sa propre foi, Marion Muller-Colard évoque son « contrat inconscient de protection » avec Dieu.

parois d'une « forteresse de certitude[1] » qui nous protège
du malheur. Le réel est « ce contre quoi on se cogne[2] »,
rappelle Marion Muller-Colard, citant Lacan, on se trouve
plongé dans « la vie brute comme [dans] un bain d'eau
glacée[3] ». La réalité parfois nous « traque » comme un
animal de proie[4]. Nous ne sommes plus du côté des
spectateurs, ceux qui s'émeuvent devant des images de
souffrance, mais qui peuvent éteindre l'écran d'un geste.
Nous sommes dans l'angoisse de la perte, la douleur
d'une souffrance, la nôtre ou celle d'un être cher, que
nous ne parvenons pas à atténuer. Marion Muller-Colard
relate cette expérience qui fut la sienne, de regarder,
enceinte, « derrière l'écran protecteur de la télévision »,
un documentaire, des enfants hospitalisés dans le service pédiatrique de l'hôpital Necker puis de se retrouver
elle-même quelques mois plus tard avec son fils dans un
service de réanimation[5].

Que penser alors ? « Cela n'était pas dans le contrat[6]. »
Quelle absurdité que de voir cette vie à peine éclose
s'étioler et se replier, menaçant de s'éteindre après
quelques semaines d'existence ! Ce n'était pas dans le
contrat, parce qu'il n'y a pas de contrat. Parce que les
choses ne se passent pas comme on les imagine. Parce

---

1. *Ibid.*, p. 55, selon l'expression empruntée par l'auteure à Paul
Tillich dans son ouvrage *Le courage d'être*.
2. Marion Muller-Colard, *L'Autre Dieu, op. cit.*, p. 97.
3. *Ibid.*, p. 102.
4. *Ibid.*, p. 56.
5. *Ibid.*, p. 35-36.
6. *Ibid.*, p. 37.

que dans notre univers rationnel, nous développons une étrange complicité entre une logique de planification des choses et la croyance irrationnelle que les planifier suffira à les faire advenir telles que nous les avons mentalement écrites. Il est toujours étonnant de voir que l'on s'obstine à croire, l'on se complait dans l'idée qu'une vie peut être écrite et se dérouler selon des plans, des projections, alors que la seule chose certaine – le surgissement inévitable d'un imprévu, d'un accident, d'une brèche dans la continuité d'une existence – est ce que nous refusons de penser[1]. Nous nous interdisons de penser la menace, le risque inhérent à nos vies. Chacun se considère, comme par magie, à l'abri. Comme si cela faisait partie d'un contrat tacite.

Les ruptures qui manifestent cette réalité du risque de toute vie, risque de la perte, nous ramènent à notre vulnérabilité et notre impuissance :

> Un jour, on se retrouve à errer dans les couloirs d'hôpitaux avec les yeux fous de la chatte qui ne retrouve pas ses petits. On regarde, impuissante, un corps minuscule et vierge de tout soupçon lutter pour sa seule respiration, ce petit corps qu'on avait mis au monde en toute insouciance. Et alors, on ne sait plus sur qui compter. On ne sait plus du tout entre les mains de qui on avait jusqu'alors remis sa vie[2].

---

1. *Ibid.*, p. 70 : « L'irréductible Menace du sort plane, ne nous en déplaise, sur chacune de nos vies. »
2. *Ibid.*, p. 81.

Après un tel effroi, la peur ne nous quitte jamais tout à fait. Elle s'est glissée sous notre épiderme, à la surface de notre être, à l'affût des moindres signes d'une nouvelle menace. Comment alors continuer à vivre, si « aucune rustine ne tient sur la faille[1] » ?

S'ensuivent parfois des épisodes de disparition du sujet éprouvé, d'effacement, de retrait. Écorché, défait par le désastre, il ne supporte plus le contact d'une réalité encore trop rugueuse. C'est après l'épreuve, après l'avoir endurée, que l'on s'effondre. La rupture nous laisse à nu, dans un dépouillement psychique tel que cet abandon de soi est sans doute nécessaire. Peut-être faut-il passer par ces « nuits de l'identité personnelle[2] », ces moments d'absence à soi pour renaître autrement au mouvement de la vie, à son allant et retrouver une certaine forme d'adhésion et de confiance.

Comment passer de « l'instant où nous réalisons que la vie ne peut se vivre sous garantie [à] celui où nous serons capables de continuer à nous lever le matin sans certitude, ni perfection, ni sécurité absolue[3] » ?

Comment revenir à l'existence sans cette insouciance qui a été la nôtre jusqu'à la catastrophe, comment vivre avec l'incertitude, sur les ruines de notre ancienne

---

1. *Ibid.*, p. 49.
2. Paul Ricœur, *Soi-même comme un autre*, Seuil, coll. « Points », 1990, p. 197. Voir aussi *ibid.* page 196 : « Il se pourrait que les transformations les plus dramatiques de l'existence dussent traverser l'épreuve de ce néant d'identité, lequel néant serait l'équivalent de la case vide dans les transformations. »
3. Marion Muller-Colard, *L'Autre Dieu*, *op. cit.*, p. 55.

confiance ? Que faire quand l'épreuve nous a rompus, vidés de notre sang, de notre énergie[1] ? Comment ne pas nous laisser « engloutir » par l'incertitude, par la crainte d'un autre malheur[2] ? « Où trouver le courage d'être en dépit de la Menace[3] ? » se demande Marion Muller-Colard.

Dans la joie. Prendre le risque de vivre, c'est faire le pari des joies possibles. Et avoir la force de se souvenir, même dans la nuit tragique, de l'étincelle de joie qui se tenait en elle.

« On côtoie bien des gouffres et bien des merveilles, même en une toute petite vie. Cette immense petite vie de mon fils[4]... »

C'est peut-être simplement dans le « sourire [des enfants] qui [n]ous font éclater la poitrine[5] » que nous retrouvons cette force d'affronter l'incertitude de la vie et le courage d'être.

---

1. *Cf. Ibid.*, p. 31 : « Alors que je devais fêter avec l'été la résurrection du monde et celle de mon fils, je restais prostrée dans la pénombre, incapable dessaisir le jour au bond et de programmer une lessive. »
2. *Cf. Ibid.*, p. 99.
3. *Ibid.*, p. 54.
4. *Ibid.*, p. 109.
5. *Ibid.*

Bibliographie

ANDREAS-SALOMÉ, Lou et RILKE, Rainer Maria, *Correspondance*, Gallimard, 1985.

AUTRÉAUX, Patrick, *Dans la vallée des larmes*, Gallimard, 2009.

–, *Se survivre*, Verdier, 2013.

BARTHES, Roland, *Fragments d'un discours amoureux*, dans *Œuvres complètes*, t. V, *1977-1980*, Seuil, 2002.

BEAUVOIR, Simone (de), *La Femme rompue*, Gallimard, coll. « Folio », 2012.

BERGSON, Henri, *Conférence de Madrid sur la personnalité*, dans *Mélanges*, PUF, 1972.

–, *Matière et mémoire*, PUF, Quadrige, 1990.

–, *Le Souvenir du présent et la fausse reconnaissance*, PUF, Quadrige, 2012.

–, *Le Rire*, PUF, 2012.

BERGOUNIOUX, Pierre, *Exister par deux fois*, Fayard, 2014.

BIRMAN, Chantal, *Au monde. Ce qu'accoucher veut dire*, Seuil, coll. « Points », 2009.

BOBIN, Christian, *La Part manquante*, Gallimard, coll. « Folio », 1994.

BOUILLIER, Grégoire, *Le Dossier M*, Gallimard, t. I, 2017, t. II, 2018.

BUTOR, Michel, *La Modification* [1957], Éditions de Minuit, coll. « Double », 1980.

CANGUILHEM, Georges, *Le Normal et le Pathologique*, PUF, coll. « Quadrige », 2013.

CHABERT, Catherine, *Maintenant, il faut se quitter*, PUF, 2017.

COHEN, Albert, *Belle du seigneur*, Gallimard, 1968.

COCTEAU, Jean, *La Voix humaine*, Stock, 2002.

DELABROY-ALLARD, Pauline, *Ça raconte Sarah*, Éditions de Minuit, 2018.

DELEUZE, Gilles et PARNET, Claire, *Dialogues*, Flammarion, coll. « Champs », 2008.

–, *L'Épuisé*, postface à BECKETT, Samuel, *Quad*, Éditions de Minuit, 1992.

–, *Critique et clinique*, Éditions de Minuit, 1999.

DELECROIX, Vincent, *Ce qui est perdu*, Gallimard, coll. « Folio », 2009.

– et FOREST, Philippe, *Le Deuil*, Philosophie Éditions, 2015.

–, *Non ! De l'esprit de révolte*, Autrement, 2018.

DUFOURMANTELLE, Anne, *Puissance de la douceur*, Payot & Rivages, 2013.

–, *En cas d'amour*, Payot & Rivages, 2013.

–, *Se trouver*, JC Lattès, 2014.

–, *Éloge du risque*, Payot & Rivages, 2014.

–, *La Sauvagerie maternelle*, Payot & Rivages, 2016.

DURAS, Marguerite, *Le Ravissement de Lol V. Stein*, Gallimard, coll. « Folio », 1998.

–, Lettre de rupture à Yann Andréa, 23 décembre 1980.

–, *L'Amant*, Gallimard, 1984.

–, *La Vie matérielle*, P.O.L, 1987.

DURING, Élie, « Introduction » dans, Henri Bergson, *Le Souvenir du présent et la fausse reconnaissance*, PUF, coll. « Quadrige », 2012.

DUROY, Lionel, *Le Chagrin*, J'ai lu, 2011.

EHRENBERG, Alain, *La Fatigue d'être soi*, Odile Jacob, 1998.

ERIBON, Didier, *Retour à Reims*, Flammarion, coll. « Champs », 2018.

ERNAUX, Annie, *Passion simple*, Gallimard, coll. « Folio », 1991.

–, *Se perdre*, Gallimard, coll. « Folio », 2001.

–, *Mémoire de fille*, Gallimard, coll. « Folio », 2016.

–, *Écrire la vie*, Gallimard, coll. « Quarto », 2011.

FITZGERALD, Francis S., *La Fêlure*, Gallimard, coll. « Folio », 2014.

FLEM, Lydia, *Comment j'ai vidé la maison de mes parents*, Seuil, 2004.

–, *Comment je me suis séparée de ma fille et de mon quasi-fils*, Seuil, 2009.

FOREST, Philippe, *Le Nouvel Amour*, Éditions de Minuit, 2007.

FREUD, Sigmund, *Deuil et mélancolie*, Payot, « Petite bibliothèque », 2011.

GESTERN, Hélène, *Un vertige* suivi de *La Séparation*, Arléa, 2017.

GOBEIL-NOËL, Madeleine et LANZMANN, Claude, *Sartre inédit. Entretiens et témoignages*, entretien à la télévision *Radio Canada* (15 août 1967), DVD, Nouveau Monde éditions, 2005.

HORNBY, Nick, *Haute fidélité*, 10/18, 1995.

JAQUET, Chantal, *Les Transclasses ou la Non-reproduction*, PUF, 2014.

JULIET, Charles, *Attente en automne*, P.O.L, 1999.

–, *Lambeaux*, Gallimard, coll. « Folio », 2005.

–, *L'Année de l'éveil*, Gallimard, coll. « Folio », 2006.

–, *Dans la lumière des saisons*, P.O.L, 1991.

KAFKA, Franz, *La Métamorphose*, Gallimard, coll. « Folio »,
    1989.

KIERKEGAARD, Søren, *L'Alternative. Le Journal du séducteur*,
    Gallimard, coll. « Folio », 1989.

–, *La Reprise*, Flammarion, coll. « GF », 2008.

KUNDERA, Milan, *Risibles amours*, Gallimard, coll. « Folio »,
    1986.

LE BRETON, David, *Disparaître de soi*, Métailié, 2015.

MALABOU, Catherine, *Ontologie de l'accident*, Léo Scheer,
    2009.

MALHERBE, Michel, *Alzheimer. La vie, la mort, la reconnais-*
    sance, Vrin, 2015.

MAUVIGNIER, Laurent, *Apprendre à finir*, Éditions de Minuit,
    2009.

MICHAUX, Henri, *Bras cassé*, Fata Morgana, 2009.

–, *Plume*, Gallimard, 1963.

MULLER-COLARD, Marion, *L'Autre Dieu. La Plainte, la Menace*
    et la Grâce, Labor et Fides, 2015.

–, *Le Jour où la Durance*, Gallimard, coll. « Sygne », 2018.

NERUDA, Pablo, *Vaguedivague*, Gallimard, 1971.

NIETZSCHE, Friedrich, *Seconde considération intempestive*,
    Flammarion, coll. « GF », 1988.

O'CONNOR, Flannery, *Œuvres*, Gallimard, coll. « Quarto »,
    2009.

PONTALIS, J.-B., *Se perdre de vue*, Gallimard, coll. « Folio »,
    1999.

–, *En marge des nuits*, Gallimard, 2013.

–, *Marée basse, marée haute*, Gallimard, coll. « Folio », 2014.

–, *Œuvres*, Gallimard, coll. « Quarto », 2015.

POTTE-BONNEVILLE, Mathieu, *Recommencer*, Verdier, 2018.

RICŒUR, Paul, *Soi-même comme un autre*, Seuil, coll. « Points »,
1996.

ROSENTHAL, Olivia, *On n'est pas là pour disparaître*, Verticales, 2007.

ROSSET, Clément, *Loin de moi*, Éditions de Minuit, 2000.

–, *Tropiques. Cinq conférences mexicaines*, Éditions de
Minuit, 2010.

SPINOZA, *Éthique*, Flammarion, coll. « GF », 1993.

SCHÜTZ, Alfred, *L'Étranger*, suivi de *L'homme qui revient
au pays*, Allia, 2003.

VALÉRY, Paul, *Œuvres*, Gallimard, coll. « Bibliothèque de
la Pléiade, t. I, 2002.

WAUTERS, Antoine, *Pense aux pierres sous tes pas*, Verdier,
2018.

WINNICOTT, Donald, *Conversations ordinaires*, Gallimard,
coll. « Folio Essais », 1988.

Table

P 136

CET OUVRAGE
A ÉTÉ ACHEVÉ D'IMPRIMER
SUR ROTO-PAGE
PAR L'IMPRIMERIE FLOCH
À MAYENNE EN MAI 2019

N° d'impression : 94435
Imprimé en France